KB081947

편입수학반을 위한 스킬편입수학교재

편입수학

선형대수학

skill-math

스킬편입수학
연구소

편입수학-선형대수학

발 행 | 2024년 2월 21일
저 자 | 스킬편입수학 연구소
펴낸이 | 한건희
펴낸곳 | 주식회사 부크크
출판사등록 | 2014.07.15.(제2014-16호)
주 소 | 서울특별시 금천구 가산디지털1로 119 SK트윈타워 A동 305호
전 화 | 1670-8316
이메일 | info@bookk.co.kr

ISBN | 979-11-410-7324-4

www.bookk.co.kr

선형대수

<행렬의 정의와 연산>

$$A=(a_{ij})_{m\times n}=\begin{pmatrix} a_{11} & a_{12} & \cdots & a_{1n} \\ a_{21} & a_{22} & \cdots & a_{2n} \\ \vdots & \vdots & \vdots & \vdots \\ a_{m1} & a_{m2} & \cdots & a_{mn} \end{pmatrix}$$ 을 $m\times n$ 행렬이라 한다.

*행렬: m,n개의 실수 또는 복소수를 네모난 모양으로 배열한 것이며, 읽을 때는 $m\ by\ n$ 행렬이라 읽는다.
*행: 가로줄로 이루어진 행
*열: 세로줄로 이루어진 열
*원소: 행렬의 구성원
*계수행렬: 계수를 배열 해놓은 행렬
*첨가(확대)행렬: 계수행렬에 우측원소 첨가한 행렬

*n차 정방행렬(정사각형 행렬): $m=n$일 때, $A=(a_{ij})_{n\times n}$를 n차 정방행렬이라 한다.

$ex)\begin{pmatrix} 6 & 7 \\ 3 & 5 \\ 4 & 2 \end{pmatrix}$ 행과 열 $\rightarrow$ 행렬 $Matrix$

$A=(a_{ij})_{3\times 2}=M_{3\times 2}$

$M_4=4$차 정방행렬

* $Trace\,A=$ 정방행렬 A에서 대각원소들의 합 $(a_{11}+a_{22}+a_{33}+\cdots+a_{nn})$
성질
임의의 실수 $a\in R$와 n차 정방행렬 A,B에 대해

① $tr(A\pm B)=tr(A)\pm tr(B)$ ② $tr(aA)=a\,tr(A)$ ③ $tr(A^T)=tr(A)$

④ $tr(AB)=tr(BA)$ ⑤ $tr(ABC)=tr(CAB)=tr(BCA)\neq tr(CBA)$

⑥ A가 $m\times n$ 행렬이고 B가 $n\times m$ 행렬이면 $tr(AB)=tr(BA)$

* 전치행렬($Transposed\ matrix$) : $m\times n$ 행렬 $A=(a_{ij})$에서 행과 열을 바꾸어 놓아 만들어진 행렬이며 A^T, A^t라 표기한다.

성질 : ① $(A^T)^T=A$ ② $(aA)^T=aA^T$ ③ $(A+B)^T=A^T+B^T$ ④ $(AB)^T=B^TA^T$

$A=\begin{pmatrix} 4 & 5 & 6 \\ 7 & 8 & 9 \end{pmatrix},\ A^T=\begin{pmatrix} 4 & 7 \\ 5 & 8 \\ 6 & 9 \end{pmatrix}$

$A=\begin{pmatrix} 1 & -1 & 3 \\ -1 & 3 & 4 \\ 6 & 7 & 8 \end{pmatrix},\ A^t=\begin{pmatrix} 1 & -1 & 6 \\ -1 & 3 & 7 \\ 3 & 4 & 8 \end{pmatrix}$

*단위행렬 $= I(E)$: 대각원소는 1이고 나머지는 모두 0

$Ex)$ $\begin{pmatrix} 1 & 0 \\ 0 & 1 \end{pmatrix}$, $\begin{pmatrix} 1 & 0 & 0 \\ 0 & 1 & 0 \\ 0 & 0 & 1 \end{pmatrix}$

$AI = IA = A,\ \ I^n = I$

*영행렬 : 모든 원소가 0이며 상삼각행렬, 하삼각행렬, 대각행렬 모두 해당된다.
*대각행렬 : 대각원소 제외하고 모두 영인 원소들로 이루어진 행렬

행렬의 덧셈과 뺄셈 : 같은 모양끼리만 연산 가능

$M_{3\times 2} + M_{3\times 2} = M_{32}\ (O)$
$M_{3\times 2} + M_{3\times 3} =$ 불가

상수(실수)배 $A = \begin{pmatrix} 1 & 1 \\ 2 & 1 \end{pmatrix}$, $5A = \begin{pmatrix} 5 & 5 \\ 10 & 5 \end{pmatrix}$

곱셈 : $M_{m\times n} \times M_{n\times m} = M_{m\times m}$

*행렬의 연산(A, B는 같은구조)

① $A+B = B+A$ ② $(A+B)+C = A+(B+C)$

③ $1A = A$ ④ $cO = O$ ⑤ $0A = 0$

⑥ $AB \neq BA$ (교환법칙 ×) ⑦ $(A+B)^2 = A^2 + AB + BA + B^2 \neq A^2 + 2AB + B^2$

⑧ $(A-B)(A+B) = A^2 + AB - BA - B^2 \neq A^2 - B^2$ ⑨ $AB = AC \nRightarrow B = C$

⑩ $AB = O \nRightarrow A = O \text{ or } B = O$

1) $\begin{pmatrix} 4 & 1 & -1 \\ 3 & 2 & 0 \end{pmatrix}\begin{pmatrix} 2 & 6 \\ 1 & -4 \\ 5 & -2 \end{pmatrix} = \begin{pmatrix} a & b \\ c & d \end{pmatrix}$, $c = ?$

$Ans.8$

2) $D = \dfrac{1}{\sqrt{6}}\begin{pmatrix} \sqrt{2} & \sqrt{2} & \sqrt{2} \\ \sqrt{3} & -\sqrt{3} & 0 \\ 1 & 1 & -2 \end{pmatrix}$에 대하여 DD^t의 대각원소들의 합?

$Ans.3$

3) $A = \begin{pmatrix} 1 & 0 \\ 1 & 1 \end{pmatrix}$, $B = \begin{pmatrix} 1 & 2 & 3 \\ 2 & 1 & 1 \end{pmatrix}$일 때 $B^t A^t = ?$

4) 행렬 $A=\begin{pmatrix} a & -2 \\ 1 & b \end{pmatrix}$가 $A^2=A$를 만족할 때, a^2+b^2의 값은?
$Ans.$ 5

* $m \times n$행렬 A에 대해 $tr(AA^T)=\sum_{i=1}^{m}\sum_{j=1}^{n}(a_{ij})^2$: (모든 원소 제곱의 합)

5) 다음 행렬 A의 전치행렬 A^T에 대하여 트레이스 $tr(AA^T)$의 값은?

$$A=\begin{pmatrix} 1 & 0 & 1 & 1 \\ 0 & -1 & 0 & 1 \\ 1 & 0 & 2 & 0 \\ 0 & 1 & -1 & -2 \end{pmatrix}$$

$Ans.$ 16

행렬의 멱승 : $A \times A \cdots \times A = A^n$
$A^m A^n = A^{m+n}$
$(A^m)^n = A^{mn}$

A^n의 계산 (1). 수열이용
(2). 단위행렬이용
(3). 고유치이용 $(P^{-1}AP)^n = P^{-1}A^nP$, ($P=$ 대각화행렬)

케일리 – 해밀턴 정리 $A = \begin{pmatrix} a & b \\ c & d \end{pmatrix}$일때 $A^2 - (a+d)A + (ad-bc)E = O$

1) $A = \begin{pmatrix} 1 & 2 \\ 0 & 1 \end{pmatrix}$일 때 $A^{20} = ?$

$Ans. A^{20} = \begin{pmatrix} 1 & 40 \\ 0 & 1 \end{pmatrix}$

2) 정사각행렬 A가 $A\begin{pmatrix} 2 \\ 1 \end{pmatrix} = \begin{pmatrix} 3 \\ 3 \end{pmatrix}$, $A^2\begin{pmatrix} 2 \\ 1 \end{pmatrix} = \begin{pmatrix} 4 \\ 7 \end{pmatrix}$을 만족할 때, $A\begin{pmatrix} 8 \\ 7 \end{pmatrix}$은?

① $\begin{pmatrix} 7 \\ 10 \end{pmatrix}$ ② $\begin{pmatrix} 10 \\ 7 \end{pmatrix}$ ③ $\begin{pmatrix} 17 \\ 11 \end{pmatrix}$ ④ $\begin{pmatrix} 11 \\ 17 \end{pmatrix}$

$Ans.$ ④

3) $A=\begin{pmatrix}1&2\\1&3\end{pmatrix}$, $B=\begin{pmatrix}3&-2\\-1&1\end{pmatrix}$, $C=\begin{pmatrix}1&-1\\0&1\end{pmatrix}$일 때, 다음 중 옳지 않은 것은?
(단, A^T는 A의 전치행렬)

① $AB=BA$ ② $(A(BC)^T)^T=A^TBC$ ③ $A(B+C)=AB+AC$ ④ $(A+B)(A-B)=A^2-B^2$

$Ans.$ ②

4) 행렬 $A=\begin{pmatrix}0&1\\-1&1\end{pmatrix}$일 때 A^{50}을 구하라.

$Ans.\begin{pmatrix}-1&1\\-1&0\end{pmatrix}$

5) $\begin{pmatrix}1&0\\-\lambda&1\end{pmatrix}^{50}=\begin{pmatrix}1&0\\100&1\end{pmatrix}$일 때, $\lambda=?$

$Ans.\ A^{50}=\begin{pmatrix}1&0\\-50\lambda&1\end{pmatrix}\ \therefore \lambda=-2$

6) $A=\begin{pmatrix}1&1&1\\1&1&1\\1&1&1\end{pmatrix}$에서 $A^{100}=(a_{ij})$라고 할때, $a_{11}=?$

$Ans.3^{99}$

7) $A=\begin{pmatrix}3&2\\-2&-1\end{pmatrix}$에서 $A^{10}=?$

$Ans.\ A^{10}=\begin{pmatrix}21&20\\-20&-19\end{pmatrix}$

8) $A=\begin{pmatrix}0&-1\\1&1\end{pmatrix}$에 대해 $A^{100}=?$

$Ans.A^{100}=\begin{pmatrix}0&1\\-1&-1\end{pmatrix}$

9) $A=\begin{pmatrix}0&2\\\frac{1}{2}&0\end{pmatrix}$일 때 $A^n=?$

$A^2=\begin{pmatrix}0&2\\\frac{1}{2}&0\end{pmatrix}\begin{pmatrix}0&2\\\frac{1}{2}&0\end{pmatrix}=\begin{pmatrix}1&0\\0&1\end{pmatrix}=I$

$A^3=\begin{pmatrix}0&2\\\frac{1}{2}&0\end{pmatrix}$, $A^4=I$

$A^n=n$이 짝수 일때 I

n이 홀수 일때 A

10) $A=\begin{pmatrix}1 & 1\\0 & -1\end{pmatrix}$일 때 $A^{20}\begin{pmatrix}1\\2\end{pmatrix}=?$

$A^2=\begin{pmatrix}1 & 1\\0 & -1\end{pmatrix}\begin{pmatrix}1 & 1\\0 & -1\end{pmatrix}=\begin{pmatrix}1 & 0\\0 & 1\end{pmatrix}=I$

$A^{20}=(A^2)^{10}=I^{10}=I$

$\therefore A^{20}\begin{pmatrix}1\\2\end{pmatrix}=\begin{pmatrix}1\\2\end{pmatrix}$

11) $A=\begin{pmatrix}1 & 1\\1 & -1\end{pmatrix}$, $B=\begin{pmatrix}0 & -1\\1 & 0\end{pmatrix}$에 대해 $A^{2n}+B^{98}=7I$를 만족시키는 자연수 $n=?$

$Ans.3$

12) 행렬 A에 대해 $A\begin{pmatrix}1\\0\end{pmatrix}=\begin{pmatrix}1\\-1\end{pmatrix}$, $A\begin{pmatrix}0\\1\end{pmatrix}=\begin{pmatrix}3\\7\end{pmatrix}$일 때, 행렬 A를 구하라.

한양

13) 행렬 $A=\begin{pmatrix} 1 & 1 & 1 & 1 & 0 & 0 \\ 2 & 0 & -1 & 0 & 1 & 0 \\ 0 & 1 & 0 & 0 & 0 & 1 \end{pmatrix}$와 $B=\begin{pmatrix} 1 & 0 & 1 & 1 & 0 & -1 \\ 0 & 0 & -3 & -2 & 1 & 2 \\ 0 & 1 & 0 & 0 & 0 & 1 \end{pmatrix}$에서 $CA=B$를 만족하는 C를 구하라.

$Ans.\ C=\begin{pmatrix} 1 & 0 & -1 \\ -2 & 1 & 2 \\ 0 & 0 & 1 \end{pmatrix}$

<행렬의 종류>

①대칭행렬

정방행렬 $A=(a_{ij})_{n\times n}$, $A=A^t(a_{ij}=a_{ji})$

대각원소를 중심으로 위아래 배열이 같다.

성질
(1) A와 B가 대칭이면 $A\pm B$도 대칭
(2) A가 대칭이면 A^n도 대칭
(3)대칭행렬의 역행렬도 대칭
(4) A와 B가 대칭이고 $AB=BA$이면 AB는 대칭

②교대행렬 (반대칭행렬,왜대칭행렬)

정방행렬 $A=(a_{ij})_{n\times n}$, $A=-A^t(a_{ij}=-a_{ji})$

(1) 대각원소 $=0$
(2) 대각원소를 중심으로 위아래 부호가 반대

대칭행렬 : $\begin{pmatrix} 1 & 2 & 3 \\ 2 & -2 & 2 \\ 3 & 2 & 9 \end{pmatrix}$, 교대행렬 : $\begin{pmatrix} 0 & 2 & -3 \\ -2 & 0 & -2 \\ 3 & 2 & 0 \end{pmatrix}$

* 임의의 정방행렬은 대칭행렬과 반대칭행렬의 합으로 표현할 수 있다.

$A=\frac{1}{2}[(A+A^t)+(A-A^t)]=$(대칭행렬)+(반대칭행렬) (단, A는 정방행렬)

1) $A=\begin{pmatrix} 5 & 8 & 1 \\ 2 & -3 & 6 \\ 3 & 0 & 3 \end{pmatrix}$을 대칭행렬과 교대행렬의 합으로 나타내시오.

2) $\begin{pmatrix} 5 & 6 \\ 7 & 8 \end{pmatrix} = \begin{pmatrix} a_{11} & a_{12} \\ a_{21} & a_{22} \end{pmatrix} + \begin{pmatrix} b_{11} & b_{12} \\ b_{21} & b_{22} \end{pmatrix}$에 대해 $a_{ij} = a_{ji}$, $b_{ij} = -b_{ji}$일 때, $a_{12} + b_{22} = ?$

Ans. $13/2$

3) $A = \begin{pmatrix} a & b & -1 \\ 2 & c & d \\ e & 3 & f \end{pmatrix}$이 $A = -A^T$을 만족할 때 $a+b+c+d+e+f$의 값은?

Ans. -4

③직교행렬

$AA^t = A^tA = I, (A^t = A^{-1})$을 만족하는 정방행렬 A를 직교행렬이라 한다.

$ex)\ A = \begin{pmatrix} \cos\theta & -\sin\theta \\ \sin\theta & \cos\theta \end{pmatrix}$

*성질

(1) A, B가 직교행렬이면 AB도 직교행렬이다.
(2) A가 직교행렬이면 A^{-1}은 직교행렬이다.
(3) 직교행렬의 행렬식은 ± 1이다.
(4) 직교행렬의 고유치 중에 ± 1이 존재한다.
(5) 열벡터들의 크기가 1(행벡터들의 크기가 1)
(6) 열벡터들이 서로 수직(행벡터들이 서로 수직)
(7) $(A\vec{a}) \circ (A\vec{b}) = \vec{a} \circ \vec{b} = a^T b$ (여기서 a, b는 열벡터)
(8) $\| A\vec{a} \| = \| \vec{a} \|$

1) 다음중 직교행렬은?

$a.\ \begin{pmatrix} \frac{1}{2} & \frac{\sqrt{3}}{2} \\ \frac{\sqrt{3}}{2} & \frac{1}{2} \end{pmatrix}$ $b.\ \begin{pmatrix} \frac{1}{2} & 1 \\ 1 & \frac{1}{2} \end{pmatrix}$ $c.\ \begin{pmatrix} \frac{1}{2} & \frac{-\sqrt{3}}{2} \\ \frac{\sqrt{3}}{2} & \frac{1}{2} \end{pmatrix}$ $d.\ \begin{pmatrix} \frac{3}{2} & -1 \\ 1 & \frac{3}{2} \end{pmatrix}$

$Ans.\ c$

2) 직교행렬 $A = \begin{pmatrix} \frac{1}{\sqrt{2}} & a \\ \frac{1}{\sqrt{2}} & b \end{pmatrix}$에서 $a + b = ?$

$Ans.\ b = \pm \frac{1}{\sqrt{2}}, a = \mp \frac{1}{\sqrt{2}}$

15항공

3) 다음 중 직교(orthogonal) 행렬이 아닌 것은?

① $\begin{bmatrix} \frac{3}{\sqrt{10}} & \frac{1}{\sqrt{10}} \\ \frac{-1}{\sqrt{10}} & \frac{3}{\sqrt{10}} \end{bmatrix}$ ② $\begin{bmatrix} 1 & 0 \\ 0 & 1 \end{bmatrix}$ ③ $\begin{bmatrix} \frac{-1}{\sqrt{2}} & \frac{1}{2} & \frac{1}{2} \\ 0 & \frac{-1}{\sqrt{2}} & \frac{1}{\sqrt{2}} \\ \frac{1}{\sqrt{2}} & \frac{1}{2} & \frac{1}{2} \end{bmatrix}$ ④ $\begin{bmatrix} \frac{1}{3} & \frac{-2}{3} & \frac{-2}{3} \\ \frac{-2}{3} & \frac{1}{3} & \frac{2}{3} \\ \frac{2}{3} & \frac{2}{3} & \frac{-1}{3} \end{bmatrix}$

Ans. ④

4) 명제의 참/거짓을 판단하시오.

*임의의 정방행렬에서 A와 B가 대칭행렬이면 $A \pm B$도 대칭행렬이다.(O)

*$A^T = A,\ B^T = B$이고 $AB = BA$이면 AB는 대칭행렬이다.(O)

*A, B가 대칭행렬이면 AB도 대칭행렬이다.(X)

$$\begin{pmatrix} 2 & 1 \\ 1 & 3 \end{pmatrix}\begin{pmatrix} -1 & 2 \\ 2 & 3 \end{pmatrix} = \begin{pmatrix} 0 & 7 \\ 5 & 11 \end{pmatrix}$$

*A, B가 교대행렬이면 AB도 교대행렬이다.(X)

$$\begin{pmatrix} 0 & 1 \\ -1 & 0 \end{pmatrix}\begin{pmatrix} 0 & 1 \\ -1 & 0 \end{pmatrix} = \begin{pmatrix} -1 & 0 \\ -0 & -1 \end{pmatrix}$$

*A가 대칭행렬이면 A^2도 대칭행렬이다.(O)

$$\begin{pmatrix} 2 & 1 \\ 1 & 0 \end{pmatrix}\begin{pmatrix} 2 & 1 \\ 1 & 0 \end{pmatrix}=\begin{pmatrix} 5 & 2 \\ 2 & 1 \end{pmatrix}$$

*A가 교대행렬이면 A^2도 교대행렬이다.(X)

$*A^k=\begin{pmatrix} a_{11}^k & \cdots & 0 \\ \vdots & \vdots & \vdots \\ 0 & \cdots & a_{nn}^k \end{pmatrix}$($k$는 자연수) (O)

*A와 B가 대각행렬이면 $A\pm B$, AB도 대각행렬이다.(O)

*A와 B가 대각행렬이면 $AB=BA$ (O)

<행렬식>

정방행렬 $A=(a_{ij})_{n\times n}$일 때 A의 행렬식은 $|A|=\det A=D(A)$

$\begin{pmatrix} a & b \\ c & d \end{pmatrix}_{\text{행렬}}$ $\begin{vmatrix} a & b \\ c & d \end{vmatrix}_{\text{행렬식}}$

정방행렬 2×2 : $\begin{vmatrix} a & b \\ c & d \end{vmatrix}=ad-bc$

정방행렬 $sarrus$ 법칙 3×3 :

$$\begin{vmatrix} a_{11} & a_{12} & a_{13} \\ a_{21} & a_{22} & a_{23} \\ a_{31} & a_{32} & a_{33} \end{vmatrix}=a_{33}a_{22}a_{11}+a_{23}a_{12}a_{31}+a_{13}a_{21}a_{32}-(a_{31}a_{22}a_{13}+a_{21}a_{12}a_{33}+a_{11}a_{23}a_{32})$$

*행렬식의 성질

(1). $|A^T|=|A|$

(2). $|-A|=(-1)^n|A|$
(단, 행렬 A가 n차 정방행렬일 때 성립)

(3). 2개의 행or열을 바꾸면 행렬식의 값은 부호만 바뀐다.

(4). 하나이상의 행or열 의 원소가 0이면 행렬식 값은0이다.

(5). 두개의 행or 열이 비례관계이면 행렬식 값은0이다.

(6). 하나의 행or열에 실수k를 곱하여 다른행or열에 더해도 행렬식의 값은 변하지 않는다.

(7). $|AB|=|A||B|$, $|A\times A\times A\times A\cdots\times A|=|A||A||A||A|\cdots|A|=|A^n|=|A|^n$

(8). $|kA|=k^n|A|$

(9). 홀수차 교대행렬의 행렬식은 0이다.

(10). 단위행렬의 행렬식은 1이다.

(11). $\det(A+B)\neq det(A)+\det(B)$

1) n차 정방행렬 $A=(a_{ij})_{n\times n}$에 대하여 옳지 않은 것은?

a. $\det(2A)=2^n\det A$

b. $\det(AB^t)=\det A\det B$

c. A의 한행에 실수k를 곱하여 다른행에 더해도 행렬식의 값은 변함없다.

d. A의 모든행이 다르면 $|A|\neq 0$이다.

2) 3차 정방행렬 A의 행렬식이 10이면 $-2A$의 행렬식은?
$Ans.-80$

3) A가 3차 정방행렬이고 $\det A=3$일때 $\det(2A)^2=?$

$Ans.576$

4) $\begin{pmatrix}0&2\\2&0\end{pmatrix}A=\begin{pmatrix}1&2\\2&3\end{pmatrix}$을 만족할 때 $\det A=?$

$Ans.\ |A|=\dfrac{1}{4}$

5) 정방행렬 A에 대해 $A^tA=I$이면 $|A|=?$

$Ans.$ $|A|=\pm 1$

* $A^tA=I \Leftrightarrow A=$ 직교행렬, $|A|=\pm 1$

6) $\begin{vmatrix} a & b & c \\ \alpha & \beta & \gamma \\ x & y & z \end{vmatrix}=2$ 일 때 $\begin{vmatrix} -x & 3\alpha & a \\ -y & 3\beta & b \\ -z & 3\gamma & c \end{vmatrix}=?$

$Ans.6$

7) $A=(a_{ij})_{n\times n}$이 다음 조건을 만족할때 $|A|=?$

ㄱ. $a_{ij}=$ 실수

ㄴ. n은 홀수

ㄷ. $A^t=-A$

$Ans.0$

8) 모든행(or열)의 합이 0인 행렬식은?

$$\begin{vmatrix} 1 & 1 & -2 \\ 4 & -2 & -2 \\ 1 & -3 & 2 \end{vmatrix}=\begin{vmatrix} 1 & 1 & 0 \\ 4 & -2 & 0 \\ 1 & -3 & 0 \end{vmatrix}=0$$

<여인수>

A_{ij}의 여인수 : $(-1)^{i+j}|M_{ij}|$

(단, $|M_{ij}|$는 A의 i행과 j열을 뺀 나머지 행렬식, M_{ij}는 소행렬)

1) $\begin{pmatrix} 1 & 2 & 3 \\ 4 & 5 & 6 \\ 7 & 8 & 9 \end{pmatrix}$에서 a_{11}의 여인수?

$+\begin{vmatrix} 5 & 6 \\ 8 & 9 \end{vmatrix} = 45 - 48 = -3$

2) a_{23}의 여인수?

$Ans. 6$

<Laplace 전개에 의한 방법>

정의: n차 정방행렬 $A = (a_{ij})$의 행렬식은 어떤 행(열)의 원소(a_{ij})의 여인수(A_{ij})를 곱한 합으로 정의. 이때 한 행이나 열의 원소 중 0이 많은 행이나 열을 택하여 행렬식의 정의를 적용한다.

1) $\begin{vmatrix} -1 & 4 & -1 & 3 \\ 3 & 1 & 4 & -3 \\ 1 & 0 & -2 & 0 \\ 2 & -1 & 0 & 5 \end{vmatrix} = ?$

$Ans. 296$

2) $\begin{vmatrix} 1 & 0 & 1 \\ 100 & 8 & 9 \\ 7 & 0 & 3 \end{vmatrix} = ?$

$Ans. -32$

3) $\begin{vmatrix} 1 & 3 & 1 & 5 & 3 \\ -2 & -7 & 0 & -4 & 2 \\ 0 & 0 & 1 & 0 & 1 \\ 0 & 0 & 2 & 1 & 1 \\ 0 & 0 & 0 & 1 & 1 \end{vmatrix} = ?$

$Ans. -2$

4) $\begin{vmatrix} 1 & -1 & 1 & -1 & 1 \\ 0 & 2 & -2 & 2 & -2 \\ 0 & 0 & 3 & -3 & 3 \\ 0 & 0 & 0 & 4 & -3 \\ 0 & 0 & 0 & 0 & 5 \end{vmatrix} = ?$

상삼각행렬 : $1 \cdot 2 \cdot 3 \cdot 4 \cdot 5 = 120$

5) $\begin{vmatrix} -1 & 0 & 1 & 2 & 0 \\ -1 & 2 & 0 & 1 & 1 \\ 1 & 0 & 2 & 0 & 0 \\ 0 & 1 & 0 & 0 & 0 \\ 1 & 1 & 0 & -1 & 0 \end{vmatrix} = ?$

$Ans. -1$

6) $\begin{vmatrix} 5 & 5 & 5 & 2 \\ 2 & 2 & 5 & 2 \\ 2 & 5 & 2 & 5 \\ 2 & 5 & 5 & 5 \end{vmatrix} = ?$

$Ans. 54$

7) $\begin{vmatrix} a & a & a \\ a & b & b \\ a & b & c \end{vmatrix}$ 를 인수분해 하시오.

$Ans.\ a(b-a)(c-b)$

8) $\begin{vmatrix} 1 & x & x^2 \\ 1 & y & y^2 \\ 1 & z & z^2 \end{vmatrix} = ?$

$Ans.\ (y-x)(z-x)(z-y)$

9) $\begin{vmatrix} x & 1 & 1 \\ 1 & x & 1 \\ 1 & 1 & x \end{vmatrix} = 0$을 만족하는 $x=?$

$Ans.\ x = 1, -2$

10) $\begin{vmatrix} x & 1 & 0 & 2 \\ x & 0 & 1 & 0 \\ x & 0 & 2 & 1 \\ 1 & 1 & 1 & 1 \end{vmatrix} = 0$ 일때 $x=?$

$Ans.\ x = \frac{1}{3}$

11) $\begin{vmatrix} x\,1\,1\,1 \\ x\,1\,x\,1 \\ x\,x\,1\,x \\ 1\,1\,1\,x \end{vmatrix} = 0$ 에서 $x = ?$

$Ans.\, x = 0, 1$

*특수형태 행렬식

1)다음 $n \times n$ 행렬식 A의 $|A| = ?$

$$A = \begin{pmatrix} 2 & -1 & 0 & 0 & \cdots & 0 \\ -1 & 2 & -1 & 0 & \cdots & 0 \\ 0 & -1 & 2 & -1 & \cdots & 0 \\ \vdots & \vdots & \vdots & \vdots & \vdots & \vdots \\ 0 & 0 & \cdots & -1 & 2 & -1 \\ 0 & 0 & \cdots & 0 & -1 & 2 \end{pmatrix}$$

$Ans.\, |A_{n \times n}| = n+1$

2) $\begin{vmatrix} x+2 & 2x+3 & 3x+4 \\ 2x+3 & 3x+4 & 4x+5 \\ 3x+5 & 5x+8 & 10x+17 \end{vmatrix} = 0$일 때 $x = ?$

$Ans.\, x = -1, -2$

3) $\begin{vmatrix} a+b & a & a \\ a & a+b & a \\ a & a & a+b \end{vmatrix}$를 인수분해 하시오.

$Ans.\ b^2(3a+b)$

4) 4×4행렬 $A=(a_{ij})$의 A^2의 행렬식은?
(단 $a_{ij}=w^{ij}$, w는 다음 두식 $w^4=1,\ w^n\neq1\ (0<n<4)$을 만족하는 복소수)

$Ans.-16^2$

5) 다음 행렬의 행렬식 값을 구하시오.

(1) $\begin{vmatrix} 6 & 0 & 0 & -6 \\ 4 & -2 & 3 & -1 \\ 2 & 1 & -7 & -2 \\ -3 & 0 & 4 & 3 \end{vmatrix}=72$

(2) $\begin{vmatrix} 1 & 1 & 1 \\ 2 & 3 & 3 \\ 3 & 2 & 5 \end{vmatrix}=3$

(3) $\begin{vmatrix} 1 & -1 & 1 & -1 & 1 \\ 0 & 2 & -2 & 2 & -2 \\ 0 & 0 & 3 & -3 & 3 \\ 0 & 0 & 0 & 4 & -4 \\ 1 & 0 & 0 & 0 & 5 \end{vmatrix} = 120$

(4) $\begin{vmatrix} 2\sin 3t & 0 & 2\cos 3t \\ 0 & 1 & 0 \\ -\cos 3t & 0 & \sin 3t \end{vmatrix} = 2$

(5) $\det\begin{pmatrix} 0 & 10 & 5 & 0 \\ 2 & 1 & 0 & 3 \\ 0 & 3 & 0 & -2 \\ -2 & -4 & 0 & 3 \end{pmatrix} = 120$

(6) $\det\begin{pmatrix} -1 & 2 & -1 & 2 & -1 \\ 3 & 1 & 3 & 1 & 3 \\ 0 & 0 & 1 & 2 & 4 \\ 0 & 0 & 1 & 3 & 9 \\ 0 & 0 & 1 & 4 & 16 \end{pmatrix} = -14$

6) 다음 행렬의 행렬식 값을 구하라.

(1) $\begin{vmatrix} 0 & 1 & 2 & 3 & 4 \\ 1 & 2 & 3 & 4 & 5 \\ 0 & 0 & 0 & 1 & 2 \\ 0 & 0 & 0 & 0 & 1 \\ 0 & 0 & 1 & 2 & 3 \end{vmatrix} = -1$

(2) $\begin{vmatrix} 0&0&1&2 \\ 0&0&3&4 \\ 5&6&6&1 \\ 7&8&2&3 \end{vmatrix} = 4$

* *Vandermonde* 행렬의 행렬식

$$\begin{vmatrix} 1 & a & a^2 \\ 1 & b & b^2 \\ 1 & c & c^2 \end{vmatrix} = (b-a)(c-a)(c-b) = \begin{vmatrix} 1 & 1 & 1 \\ a & b & c \\ a^2 & b^2 & c^2 \end{vmatrix}$$

$$\begin{vmatrix} 1 & a & a^2 & a^3 \\ 1 & b & b^2 & b^3 \\ 1 & c & c^2 & c^3 \\ 1 & d & d^2 & d^3 \end{vmatrix} = (b-a)(c-a)(d-a)(c-b)(d-b)(d-c)$$

7) 다음 행렬 $\begin{pmatrix} 1 & 2 & 3 & 4 \\ 1 & 2^2 & 3^2 & 4^2 \\ 1 & 2^3 & 3^3 & 4^3 \\ 1 & 2^4 & 3^4 & 4^4 \end{pmatrix}$의 행렬식을 계산하시오.

$Ans.288$

15중앙

8) $\begin{bmatrix} 1 & a & a^2 & a^3 \\ 1 & b & b^2 & b^3 \\ 0 & 0 & 0 & 1 \\ 1 & c & c^2 & c^3 \end{bmatrix}$의 행렬식을 계산하면?

① $(a-b)(b-c)(a-c)$ ② $(a-b)(b-c)(c-a)$

③ $(a+b)(b-c)(c-a)$ ④ $(a-b)(b+c)(a-c)$

$Ans.$①

9) 명제의 참,거짓을 판별하시오.
(단, A, B는 n차 정방행렬)

①대각행렬의 행렬식은 대각원소들의 곱이다.(O)

②대각행렬의 대각원소들 중에 0이 없으면 가역행렬이다.(O)

③$|3A| = 3^n|A|$………( )

④$|AB^T| = |A||B|$……… ( )

⑤ $\det AB = \det A + \det B$ ……… ( )

⑥ $A^2 = O$이면 A의 행렬식은 0이다. ……… ( )

⑦ A의 한 행에 실수를 곱하고 다른 행에 더하면 그 행렬식의 값은 변하지 않는다.………( )

⑧ A의 모든 원소가 다르면 $\det A \neq 0$이다. ……… ( )

21서강

10) $x=2\rho\sin\phi\cos\theta, y=2\rho\sin\phi\sin\theta, z=\rho\cos\phi$일 때, 다음 행렬식을 계산하면?

$$\begin{vmatrix} \frac{\partial x}{\partial \rho} & \frac{\partial x}{\partial \theta} & \frac{\partial x}{\partial \phi} \\ \frac{\partial y}{\partial \rho} & \frac{\partial y}{\partial \theta} & \frac{\partial y}{\partial \phi} \\ \frac{\partial z}{\partial \rho} & \frac{\partial z}{\partial \theta} & \frac{\partial z}{\partial \phi} \end{vmatrix}$$

① $-2\rho^2\sin\phi$ ② $-4\rho^2\sin\phi$ ③ $4\rho^2\sin\phi$ ④ $2\rho^2\sin\theta$ ⑤ $4\rho^2\sin\theta$

*Ans.*②

국민

11) $A=\begin{pmatrix} -1 & -1 & 0 & 1 \\ 1 & 2 & -1 & 0 \\ -1 & -2 & 0 & 1 \end{pmatrix}$와 $B=\begin{pmatrix} -1 & -1 & 1 & -1 \\ -1 & -2 & 1 & 0 \\ 1 & -1 & 1 & -1 \end{pmatrix}$에 대하여 $B=CA$를 만족하는 행렬 C의 행렬식의 절댓값은?

① 0 ② 1 ③ 2 ④ 3

*Ans.*③

<역행렬>

n차 정방행렬 A에 대하여 $AX = XA = I$를 만족하는 정방행렬 X가 존재할 때, A는 가역적이라 하고 X를 A의 역행렬이라 부른다. 여기서 I는 n차 단위행렬이고 X를 A^{-1}로 나타낸다. 만약 A가 역행렬을 가지면, 이때 A를 정칙행렬 또는 가역행렬이라 한다. A가 역행렬을 갖지 않으면 A를 특이행렬 또는 비가역행렬이다.

<역행렬 계산법>

$|A| \neq 0$일 때, $A^{-1} = \dfrac{1}{|A|} adj(A)$

$adjA$: 수반행렬 $= \begin{pmatrix} \text{각 원소의} \\ \text{여인수} \end{pmatrix}^t$

* $A = \begin{pmatrix} a & b \\ c & d \end{pmatrix}$일 때, $A^{-1} = \dfrac{1}{ad-bc}\begin{pmatrix} d & -b \\ -c & a \end{pmatrix}$로 계산한다.

1) $A = \begin{pmatrix} 0 & 0 & 1 \\ 0 & 1 & c \\ 1 & c & c^2 \end{pmatrix}$ $(c \neq 0)$의 수반행렬에서 제3행 원소들의 합은?

$Ans. -1$

2) $A = \begin{pmatrix} 1 & 2 \\ -1 & 3 \end{pmatrix}$에서 $A^{-1} = ?$

$Ans.\ A^{-1} = \dfrac{1}{5}\begin{pmatrix} 3 & -2 \\ 1 & 1 \end{pmatrix}$

3)행렬 $A=\begin{pmatrix} 0 & \cos\theta & \sin\theta \\ 2 & 0 & 0 \\ 0 & -\sin\theta & \cos\theta \end{pmatrix}$에서 $A^{-1}=?$

$Ans.\ A^{-1}=\dfrac{-1}{2}\begin{pmatrix} 0 & -1 & 0 \\ -2\cos\theta & 0 & 2\sin\theta \\ -2\sin\theta & 0 & -2\cos\theta \end{pmatrix}$

4) $A=\begin{pmatrix} 0&0&1&3 \\ 0&0&3&8 \\ 1&2&0&0 \\ 2&3&0&0 \end{pmatrix}$에서 역행렬을 $A^{-1}=(a_{ij})$라고 할때 $a_{14}=?$

$Ans.\ a_{14}=2$

5) $A=\begin{pmatrix} 2 & 5 & 5 \\ -1 & -1 & 0 \\ 2 & 4 & 3 \end{pmatrix}$의 $A^{-1}=(a_{ij})_{3\times 3}$일 때 $a_{32}=?$

$Ans.\ a_{32}=-2$

6) $\begin{pmatrix} 1 & 0 & 0 \\ p & 1 & 0 \\ p^2 & p & 1 \end{pmatrix}$의 역행렬 A^{-1}에서 제3행 원소들의 합은?

$Ans. 1-p$

7) $A=\begin{pmatrix} 2 & 5 & 5 \\ -1 & -1 & 0 \\ 2 & 4 & 3 \end{pmatrix}$의 역행렬 A^{-1}는?

① $A^{-1}=\begin{pmatrix} 3 & -5 & -5 \\ -3 & 4 & 5 \\ 2 & -2 & -3 \end{pmatrix}$ ② $A^{-1}=\begin{pmatrix} 3 & -5 & -5 \\ 3 & 4 & 5 \\ 2 & -2 & -3 \end{pmatrix}$ ③ $A^{-1}=\begin{pmatrix} 3 & 5 & -5 \\ -3 & 4 & 5 \\ 2 & 2 & -3 \end{pmatrix}$ ④ $A^{-1}=\begin{pmatrix} 3 & -5 & 5 \\ -3 & 4 & 5 \\ 2 & -2 & 3 \end{pmatrix}$

$Ans.$①

18홍대

8) 행렬 $\begin{bmatrix} 1 & 2 & 2 \\ 3 & 1 & 0 \\ 1 & 1 & 1 \end{bmatrix}$의 역행렬을 $B=[b_{ij}]$라 할 때, b_{32}를 구하시오.

①-1 ②$1$ ③-6 ④$6$

$Ans.$①

***역행렬의 성질**

임의의 가역행렬 A, B와 임의의 실수 $k \in R$에 대하여

(1) $AA^{-1} = A^{-1}A = I$ (2) $(A^{-1})^{-1} = A$

(3) $(A^T)^{-1} = (A^{-1})^T$ (4) $(kA)^{-1} = \frac{1}{k}A^{-1}$

(5) $(AB)^{-1} = B^{-1}A^{-1}$ $\left((A \pm B)^{-1} \neq A^{-1} \pm B^{-1}\right)$

(6) $(A^n)^{-1} = (A^{-1})^n$ (7) $|A^{-1}| = \frac{1}{|A|}$

(8) $|A^{-n}| = \frac{1}{|A|^n}$ (9) $AX = B\,(|A| \neq 0) \Leftrightarrow X = A^{-1}B$

(10) $(ABC)^{-1} = (C^{-1}B^{-1}A^{-1})$ (11) $|(A^{-1})^n| = |A|^{-n}$

1) $A = (a_{ij})_{3\times 3}$, $|A| = 2$일 때 $|(2A)^{-1}| = ?$

$Ans.\ \frac{1}{16}$

2) A, B는 2차 정방행렬이고 $\det A = 2$, $\det B = 3$ 일 때 $\det(2(AB)^{-1}) = ?$

$Ans.\ \frac{2}{3}$

3) A, B가 $\det A = 2$, $\det B = 3$일때 $(BAB^{-1})^2$의 행렬식은?

$Ans.4$

4) $A=\begin{pmatrix} 1&2&3&4 \\ 2&1&1&2 \\ 2&0&0&1 \\ 1&2&1&2 \end{pmatrix}$일 때 $\det(A^{-1})=?$

$Ans.\ \dfrac{-1}{2}$

5) $A=(a_{ij})_{n\times n}$일 때 $|A|\,|adjA|$의 관계는?

$Ans.\ |A|^{n-1}=|adjA|$

6) 정방행렬 A에서 $\det A=2$, $\det(adjA)=32$일 때 A의 차수는?

$Ans.\ n=6$

7) $(B^{-1}AB)^n$과 같은 것은?

(1) $(B^{-1})^n A^n B^n$ (2) $B^{-1}A^nB$ (3) $B^nA(B^{-1})^n$ (4) BA^nB^{-1}

$Ans.$(2)

8) $A=\begin{pmatrix} 1 & 2 & -3 \\ -1 & 1 & 5 \\ 7 & 8 & 9 \end{pmatrix}$의 $adjA$를 구하여라.

$Ans.\begin{pmatrix} -31 & -42 & 13 \\ 44 & 30 & -2 \\ -15 & 6 & 3 \end{pmatrix}$

21광운

9) 다음 행렬 A의 역행렬 A^{-1}의 행렬식 $\det(A^{-1})$은?

$$A=\begin{pmatrix} 1 & -1 & -1 & 1 \\ -1 & 1 & 3 & 1 \\ -3 & 1 & -1 & 1 \\ 1 & 3 & 1 & -1 \end{pmatrix}$$

① $\frac{1}{48}$ ② $\frac{1}{24}$ ③ $\frac{1}{8}$ ④ -24 ⑤ -48

$Ans.$①

10) 행렬 $\begin{pmatrix} 1 & 1 & 1 \\ 0 & -1 & 2 \\ 0 & 0 & -1 \end{pmatrix}$의 역행렬이 $\begin{pmatrix} a_{11} & a_{12} & a_{13} \\ a_{21} & a_{22} & a_{23} \\ a_{31} & a_{32} & a_{33} \end{pmatrix}$일 때 $\sum_{i=1}^{3}\left(\sum_{j=1}^{3}a_{ij}\right)$의 값은?

① 0 ② 1 ③ 2 ④ 3

$Ans.$②

18에리카

11) 6×6행렬 $A=\begin{pmatrix}0&0&0&0&0&0\\1&0&0&0&0&0\\0&1&0&0&0&0\\0&0&1&0&0&0\\0&0&0&1&0&0\\0&0&0&0&1&0\end{pmatrix}$와 $B=\begin{pmatrix}0&1&0&0&0&0\\0&0&2&0&0&0\\0&0&0&3&0&0\\0&0&0&0&4&0\\0&0&0&0&0&5\\0&0&0&0&0&0\end{pmatrix}$에 대하여 $C=AB-BA$일 때, 행렬 C의 성분들의 합은?

① -3　② 0　③ 3　④ 5

$Ans.$②

12) 다음 행렬 $A=\begin{pmatrix}2&-3&1&0\\0&3&2&5\\0&0&1&6\\0&0&0&5\end{pmatrix}$의 수반행렬(adjoint matrix) $adj(A)$의 행렬식 값은?

① 30　② 30^2　③ 30^3　④ 30^4

$Ans.$③

14단국

13) $A=\begin{pmatrix}1&0&7\\1&1&7\\7&1&1\end{pmatrix}$일 때 $(adjA)\cdot A$의 대각성분의 합은?

① -144 ② -49 ③ 3 ④ 15

$Ans.$①

14) 다음 명제의 참/거짓을 판별하시오.

1. n차 정방행렬에서 $AB=O$이면 $A=O$ 또는 $B=O$ 이다. … ( )
2. A는 임의의 2×2행렬이다. $A^2=O$이면 $A=O$이다. ……… ( )
3. 두 정사각행렬 A,B에 대하여 A와 B 모두 영행렬이 아니면 BA도 영행렬이 아니다. … ( )
4. A와 B는 임의의 2×2행렬이다. $AC=BC$ 이면 $A=B$ or $C=O$ ……… ( )
5. 임의의 정방행렬 A에서 $A^2=A$이면 $A=O$ 또는 $A=I$이다. ……… ( )
6. n차 정방행렬에서 $AB=O$이면 $BA=O$이다. ……… ( )
7. n차 정방행렬에서 $A^2=AB$이고 A가 영행렬이 아니면 $A=B$이다.……… ( )
8. 임의의 정방행렬 A에서 $A^2=A$이고, A의 행렬식 $|A|\neq0$이면, $A=I$이다. … ( )
9. 임의의 정방행렬에서 $AB=AC$이고 A가 영행렬이 아니면, $B=C$이다. … ( )
10. 상(하)삼각행렬 ± 상(하)삼각행렬 = 상(하)삼각행렬 … ( )
11. 상(하)삼각행렬 × 상(하)삼각행렬 = 상(하)삼각행렬 … ( )

18에리카

15) 3×3행렬 A와 B가 $tr(2AAB-3BAA)=3$을 만족할 때 $tr(2ABA)$의 값은?
(단, $tr(M)$은 행렬 M의 대각합 $(trace)$)

① -6　　② -3　　③ 3　　④ 6

$Ans.$①

18에리카

16) 4×4행렬 A, B, C는 각각 다음과 같다. 실수 a, b, c에 대하여 식 $A=BC$을 만족시킬 때, A의 행렬식의 값은?

$$A=\begin{pmatrix}1 & a & 1 & -1\\ 5 & 1 & 2 & 2\\ 1 & 2 & 2 & 0\\ 3 & 0 & 1 & 1\end{pmatrix}\ B=\begin{pmatrix}1 & -2 & 1 & -1\\ 0 & 1 & b & 2\\ 0 & 0 & 1 & 0\\ 0 & 0 & 0 & 1\end{pmatrix}\ C=\begin{pmatrix}1 & 0 & 0 & 0\\ -1 & c & 0 & 0\\ 1 & 2 & d & 0\\ 3 & 0 & 1 & 1\end{pmatrix}$$

① -1　　② 0　　③ 1　　④ 2

$Ans.$④

18중대

17) 방정식 $\det\begin{pmatrix} x & 1 & 1 & 1 & 1 & 1 \\ 1 & x & 2 & 2 & 2 & 2 \\ 2 & 2 & x & 3 & 3 & 3 \\ 3 & 3 & 3 & x & 4 & 4 \\ 4 & 4 & 4 & 4 & x & 5 \\ 1 & 1 & 1 & 1 & 1 & 1 \end{pmatrix}=0$의 서로 다른 해를 모두 더하면?

①14　② 15　③ 16　④ 17

*Ans.*②

06중대

18) 가역행렬 A,B에 대해 I를 단위행렬이라 할 때, 다음 중 성립하지 않는 것은?

① $(I+AB)^{-1}A = A(I+BA)^{-1}$
② $A^{-1}+B^{-1} = A^{-1}(A+B)B^{-1}$
③ $\left(A^{-1}+B^{-1}\right)^{-1} = B(A+B)^{-1}A$
④ $\left(I+A^{-1}\right)^{-1} = (A+I)^{-1}A^{-1}$

*Ans.*④

17한양

19) 다음 <보기>는 교대 행렬에 관한 기술이다. <보기>중에서 올바른 기술의 총 개수는?

<보기>
가. 교대행렬의 주대각선의 원소는 모두 0이다.
나. 행렬 A와 B가 2×2 교대 행렬일 때, 행렬 AB 가 교대행렬이 되기 위한 조건은 A또는 B가 영행렬이 되어야 한다.
다. 행렬 A가 정방행렬이면, $A-A^T$는 교대행렬이다. (단, A^T는 A의 전치행렬)
라. 임의의 정방행렬은 대칭행렬과 교대행렬의 합으로 나타낼 수 있다.

① 1　② 2　③ 3　④ 4

*Ans.*④

18항공

20) 행렬 $C=\begin{bmatrix} 0 & 3 & 1 & 1 \\ 3 & 0 & 0 & 1 \\ 4 & 2 & 3 & 1 \\ 1 & 2 & 0 & 1 \end{bmatrix}$의 역행렬과 행렬식은 각각 C^{-1}와 $|C|$이고 전치행렬이 C^T일 때,

$|C^TC|+12|C^{-1}|+|C^T|$의 값은?

① 12　② 16　③ 23　④ 44

*Ans.*④

18항공

21) 행렬 $A=\begin{bmatrix} a & 1 & 1 \\ 1 & b & 1 \\ 1 & 1 & c \end{bmatrix}$의 대각선 합 $tr(A)$는 3이고, $abc=5$일 때, 행렬 A의 수반행렬 $adj(A)$의 행렬식 값은?

① 4 ② 5 ③ 16 ④ 25

Ans.③

17항공

22) 정방행렬 A에 대하여, $Tr(A)$는 행렬 A의 주 대각선 원소의 합, $|A|$는 행렬 A의 행렬식, A^T는 A의 전치행렬, 그리고 A^{-1}는 행렬 A의 역행렬을 각각 표시한다. 두 정방행렬 A와 B에 대하여 다음 중 거짓인 것은?

① $(AB)^T=B^TA^T$ ② $[(AB)^{-1}]^T=(B^{-1})^T(A^{-1})^T$

③ $Tr(AB)=Tr(BA)$ ④ $|AB|=|B^T||A^T|$

Ans.②

16항공

23) 행렬 $A=\begin{pmatrix} 1&0&0&0 \\ 0&2&5&0 \\ 0&1&3&0 \\ 0&0&0&4 \end{pmatrix}$의 역행렬 A^{-1}에 대한 대각합(trace), 즉 $Tr(A^{-1})$는 얼마인가?

① $\frac{25}{4}$ ② $\frac{13}{2}$ ③ $\frac{27}{4}$ ④ $\frac{14}{2}$

*Ans.*①

15항공

24) 행렬 A의 행렬식, $\det(A)=10$일 때, 행렬 B의 행렬식은?

$$A=\begin{bmatrix} a_1 & a_2 & a_3 \\ b_1 & b_2 & b_3 \\ c_1 & c_2 & c_3 \end{bmatrix},\ B=\begin{bmatrix} -a_1 & -a_2 & -a_3 \\ 2b_1 & 2b_2 & 2b_3 \\ c_1-a_1 & c_2-a_2 & c_3-a_3 \end{bmatrix}$$

① 10 ② 20 ③ -10 ④ -20

*Ans.*④

15항공

25) 행렬 A가 아래와 같이 주어질 때, A의 역행렬식 $\det(A^{-1})$은?

$$A=\begin{bmatrix} 2 & 2 & 0 \\ -2 & 1 & 1 \\ 3 & 0 & 1 \end{bmatrix}$$

① 1/12 ② 1/6 ③ 6 ④ 12

*Ans.*①

< 행렬의 계수($rank$) >

행렬의 계수 : $m\times n$ 행렬 A의 1차 독립인 행벡터(혹은 열벡터)의 최대의 개수를 A의 계수($rank$)라 한다. 보통 상공간의 차원 및 벡터들의 독립, 종속을 판단할 때 이용되며 기호로는 $rank(A)$라 한다. $m\times n$ 행렬에서 행렬의 계수는 행과 열 중에 작은 숫자보다 같거나 작다.

(1)행렬의 계수 정의 : $m\times n$ 행렬 A의 1차 독립인 행벡터(혹은 열벡터)의 최대의 개수

(2) $rank$ 구하는 방법 : 기본행 연산을 이용하여 한 행의 원소중에 적어도 하나가0이 아닌 행의 개수

*기본행 연산
① 두 행의 위치를 맞 바꾼다.
② 하나의 행에 0이 아닌 상수를 곱한다.
③ 하나의 행에 임의의 상수 k를 곱해 다른 행에 더한다.

*행렬 계수($rank$)의 성질 ($m\times n$행렬 A에 대하여)

(1) $rank(A^T)=rank(A)$

(2) 임의의 두 행을 교환해도 $rank$는 변화없다.

(3) 한 행에 k배하여 다른 행에 더해도 $rank$는 변화없다.

(4) 어떤 행에 0아닌 수를 곱해도 $rank$는 변화없다.

(5) $rank(SA)=rank(A)$: S는 가역행렬

(6) $rank(A^TA)=rank(AA^T)=rank(A)$

(7) $rank(AB)\le \min(rankA, rankB)$

(8) $rankA \le min(m,n)$

*$A=(a_{ij})_{n\times n}$에서 $|A|\neq 0$이면 $rankA=n$, $|A|=0$ 이면 $rankA=n-1$이하

$A=\begin{pmatrix} 1 & 2 & 3 & 4 \\ -1 & 0 & 1 & 5 \\ 2 & 4 & 6 & 8 \end{pmatrix} \Rightarrow 3\times 4$행렬 최대 정방행렬 $3\times 3 \to$ 최대 $rank=3$

$=\begin{pmatrix} 1 & 2 & 3 & 4 \\ -1 & 0 & 1 & 5 \\ 0 & 0 & 0 & 0 \end{pmatrix} \Rightarrow 3\times 3$행렬식 모두0

$\Rightarrow 2\times 2$행렬식은 0이 아닌것 존재 , $\therefore A$의 $rank = rankA = 2$

*0행렬의 $rank=0$

1) $A=\begin{pmatrix} 1 & 2 & 3 & 4 \\ -1 & 1 & 5 & 7 \\ 2 & 4 & 6 & 9 \end{pmatrix}$의 $rank=?$

$Ans. rankA=3$

2) $\begin{pmatrix} 1 & 2 & 3 & 6 \\ 2 & 1 & -3 & 0 \\ 4 & 5 & 3 & 12 \end{pmatrix}$ 의 $rank$는?

$Ans.\ rank=2$

3) $\begin{pmatrix} 1 & 4 & 2 \\ 3 & 1 & -5 \\ -2 & 3 & 7 \\ -7 & 5 & 19 \end{pmatrix}$ 의 $rank$는?

$Ans.\ rank=2$

4) 다음 행렬 A에 대하여 $rank(A^T)$을 구하라.

$$A=\begin{pmatrix} 1 & -2 & 1 & 1 & 2 \\ 0 & 1 & 1 & 3 & 4 \\ 1 & 2 & 5 & 13 & 5 \\ -1 & 3 & 0 & 2 & -2 \end{pmatrix}$$

$Ans.\ rank(A^T)=3$

5) 다음 행렬들의 계수(RANK,위수)를 구하시오.

(1) $\begin{pmatrix} 2 & -1 & -1 & 4 \\ 1 & 0 & -1 & 0 \\ 1 & -1 & 0 & 2 \\ 0 & 1 & -1 & -1 \end{pmatrix}$ $Rank=3$

(2) $\begin{pmatrix} 1 & 2 & 1 & 5 \\ 2 & 4 & -3 & 0 \\ 1 & 2 & -1 & 1 \end{pmatrix}$ $Rank=2$

(3) $\begin{pmatrix} 4 & 0 & 2 \\ 0 & 1 & 0 \\ 2 & 1 & 5 \\ 2 & 0 & 1 \end{pmatrix}$ $Rank=3$

(4) $\begin{pmatrix} 21 & 22 & 23 & 24 \\ 31 & 32 & 33 & 34 \\ 41 & 42 & 43 & 44 \\ 51 & 52 & 53 & 54 \end{pmatrix}$ $Rank=2$

6) 5×5 행렬 A에 관한 설명 중 틀린 것은?

(1) $rankA=5$면 A는 정칙행렬

(2) $\det A\neq 0$이면 $rankA=5$

(3) A의 모든 4×4 소행렬식이 0이면 $rankA=3$

(4) A의 한 4×4행렬식이 0이 아니면 $rankA$는 4이상이다.

(5) $rankA=4$이면, $|A|=0$이다.

(6) $|A|=0$이면 $rankA=4$이하이다.

7) 다음 < 보기 > 는 행렬의 계수($rank$)에 관한 기술이다. < 보기 > 중에서 올바른 기술의 총 개수는?

< 보기 >
가. $rank(AB) > rank(B)$
나. U가 역행렬을 가지면 $rank(UA) = rank(A)$
다. A, B가 $m\times n$ 행렬일 때, $rank(A+B) > rank(A) + rank(B)$
라. A가 $n\times n$ 정방행렬로서 $A^2 = O$이면 $rank(A) \leq \frac{n}{2}$

$Ans.$ 2개

< rank와 1차 연립방정식 >

$(A|B)$= 확대행렬(첨가행렬) ($AX=B$에서 A는 계수행렬, $X\in R^n$)

$\begin{pmatrix} 2 & 3 & \vdots & 5 \\ -1 & 7 & \vdots & 6 \end{pmatrix} \Rightarrow rankA \le rank(A|B)$

(1) $rankA=2$, $rank(A|B)=2$
(2) $rankA=1$, $rank(A|B)=1$
(3) $rankA=1$, $rank(A|B)=2$

$\begin{cases} 2x+3y=5 \\ -x+7y=6 \end{cases}$: 1쌍의 해

$\begin{pmatrix} 2 & 3 \\ -1 & 7 \end{pmatrix}\begin{pmatrix} x \\ y \end{pmatrix}=\begin{pmatrix} 5 \\ 6 \end{pmatrix}$

$\begin{cases} 2x+3y=5 \\ 4x+6y=10 \end{cases}$: 무수히 많은 해

$\begin{pmatrix} 2 & 3 \\ 4 & 6 \end{pmatrix}\begin{pmatrix} x \\ y \end{pmatrix}=\begin{pmatrix} 5 \\ 10 \end{pmatrix}$

$\begin{cases} 2x+3y=5 \\ 4x+6y=11 \end{cases}$: 해 존재 X

$\begin{pmatrix} 2 & 3 \\ 4 & 6 \end{pmatrix}\begin{pmatrix} x \\ y \end{pmatrix}=\begin{pmatrix} 5 \\ 11 \end{pmatrix}$

연립방정식 $AX=B$에 대하여

1. $rankA < rank(A|B)$: 근이 존재하지 않는다.

2. $rankA = rank(A|B)$: 근이 존재

$i)$ $rankA = rank(A|B)$ = 미지수 개수(n)
 − 오직1쌍, 유일한 근, 자명한 해

$ii)$ $rankA = rank(A|B) <$ 미지수 개수(n)
 − 무수히 많은 해, 이외의 또다른 해

한양

1) A는 $n\times n$행렬, B는 n차원 열벡터일 때, X에 관한 방정식 $AX=B$ 에 대한 설명이다. 틀린 것을 찾으시오.

(1) 해가 오직 하나만 존재하면 $\det A\neq 0$이다.

(2) 해가 존재하지 않으면 $\det A=0$이다.

(3) 해가 존재하면 $\det A\neq 0$이다.

2) $\begin{cases}(a-3)x+y=0\\ x+(a-3)y=0\end{cases}$ 이 0이외의 해를 갖도록 a값을 구하라.

$Ans.\ a=4,2$

3) $\begin{cases}ax+y-z=x\\ x-2ay+z=-y\\ 2x-y+z=0\end{cases}$ 이 0이외의 해를 갖도록 a값을 구하시오.

$Ans.\ 1,-1$

4) $\begin{cases} x-y \quad +z= \ 0 \\ 2x+ay+2z=0 \\ x-2y \quad +2z=0 \end{cases}$ 이 무한히 많은 해를 갖도록 a값을 정하라.

$Ans.\ a=-2$

5) $\begin{cases} \ \ x+2y=1 \\ -x+ay=0 \end{cases}$ 이 유일한 해를 갖도록 하는 a의 조건은?

$Ans.\ a \neq -2$

6) $\begin{cases} ax+bz=2 \\ ax+ay+4z=4 \\ ay+2z=6 \end{cases}$ 이 오직한쌍의 해를 갖는 a,b의 조건을 구하라.

$Ans.\ a \neq 0,\ b \neq 2$

7) $\begin{cases} 3x+2y+kz=1 \\ 2x-y+z=0 \\ x+2y+3z=1 \end{cases}$ 이 해를 갖지 않도록 k값을 구하라.

$Ans. k=5$

8) $\begin{cases} x+2y-3z=a \\ 2x+3y+3z=b \\ 5x+9y-6z=c \end{cases}$ 이 해를 가질 조건은?

$Ans.\ c-5a-b+2a=0$

9) $\begin{cases} x+2y+a=0 \\ x-2y+3=0 \\ 2x+3y+a=0 \end{cases}$ 이 해를 갖도록 a값을 구하시오.

$Ans. \begin{pmatrix} 1 & 2 & 0 & | -a \\ 1 & -2 & 0 & | -3 \\ 2 & 3 & 0 & | -a \end{pmatrix} \Rightarrow \begin{pmatrix} 1 & 2 & 0 & | & -a \\ 0 & -4 & 0 & | & -3+a \\ 0 & -1 & 0 & | & +a \end{pmatrix} \Rightarrow \begin{pmatrix} 1 & 2 & 0 & | & -a \\ 0 & 0 & 0 & | & -3-3a \\ 0 & -1 & 0 & | & +a \end{pmatrix}, rank(A)=2, rank(A \mid B)=2$가

되어야해가존재한다. $a=-1$

10) $\begin{cases} x+2y-4z+3w=-1 \\ 2x-3y+13z-8w=5 \\ 3x-y+9z-5w=k \end{cases}$ 이 해를 갖도록 하는 k의 값은?

$Ans.\begin{pmatrix} 1 & 2 & -4 & 3 & | -1 \\ 2 & -3 & 13 & -8 & | \ 5 \\ 3 & -1 & 9 & -5 & | \ k \end{pmatrix} \Rightarrow \begin{pmatrix} 1 & 2 & -4 & 3 & | -1 \\ 0 & -7 & 21 & -14 & | \ 7 \\ 0 & 0 & 0 & 0 & | k-4 \end{pmatrix}, k=4$

11) $\begin{pmatrix} 1 & 2 & -1 & -1 \\ 1 & 2 & 0 & 3 \\ 2 & 4 & 1 & 10 \\ 0 & 0 & 1 & 4 \end{pmatrix}\begin{pmatrix} x_1 \\ x_2 \\ x_3 \\ x_4 \end{pmatrix} = \begin{pmatrix} 0 \\ 0 \\ 1 \\ 0 \end{pmatrix}$을 만족하는 실수해는?

a. 오직1쌍 b. 무한개 c.존재하지 않는다. d. 판정불가.

$\begin{pmatrix} 1 & 2 & -1 & -1 & |0 \\ 1 & 2 & 0 & 3 & |0 \\ 2 & 4 & 1 & 10 & |1 \\ 0 & 0 & 1 & 4 & |0 \end{pmatrix} = \begin{pmatrix} 1 & 2 & -1 & -1 & |0 \\ 0 & 0 & 1 & 4 & |0 \\ 0 & 0 & 3 & 12 & |1 \\ 0 & 0 & 0 & 0 & |0 \end{pmatrix}$, $rankA=2$, $rank(A \mid B)=3$. 해X

12) 연립방정식 $\begin{cases} x+y+kz=1 \\ 3x+4y+2z=0 \\ 2x+3y-z=1 \end{cases}$ 이 해를 갖지 않도록 하는 상수 k의 값은?

$Ans.3$

13) 연립방정식 $\begin{cases} -\lambda x+2y+3z=0 \\ 3x+3y+5z=\lambda y \\ x+3y+4z=\lambda y \end{cases}$ 가 무수히 많은 해를 갖도록 λ의 값을 구하시오.

Ans. 1, −4

14) $A=(a_{ij})_{3\times 3}$에 대해 연립방정식 $AX=0$의 설명 중 틀린것은?

a. A에 관계없이 항상 해가존재

b. A에 따라서 자명한해 or 무수한 해를 갖는다.

c. A의 역행렬이 존재하면 자명한 해를 갖는다.

d. A의 행렬식 값이 0이면 오직 한쌍의 해를 갖는다.

Ans. *d*

18중대(공대,수학과)

15) 다음의 일차연립방정식을 만족하는 해가 존재하도록 상수 c의 값을 정하면?

$$2x-y+z+w=1$$
$$x+2y-z+4w=2$$
$$x+7y-4z+11w=c$$

① −7　　② − 5　　③ 5　　④ 없다

Ans.③

21경희

16) 연립방정식 $\begin{cases} x+y+z=a^2 \\ x+2y+3z=a^4 \\ 3x+5y+7z=3 \end{cases}$ 의 해가 존재하도록 하는 정수 a의 개수는?

① 0개 ② 1개 ③ 2개 ④ 3개 ⑤ 4개

<크래머법칙(Cramer's rule)>

선형연립방정식 $Ax=b$ 즉, $\begin{pmatrix} a_{11} & a_{12} & \cdots & a_{1n} \\ a_{21} & a_{22} & \cdots & a_{2n} \\ & \vdots & & \\ a_{n1} & a_{n2} & \cdots & a_{nn} \end{pmatrix}\begin{pmatrix} x_1 \\ x_2 \\ \vdots \\ x_n \end{pmatrix}=\begin{pmatrix} b_1 \\ b_2 \\ \vdots \\ b_n \end{pmatrix}$에서 $\det(A)\neq 0$이면

$x_j=\dfrac{\det(A_j)}{\det(A)}$이다. 여기서 행렬 A_j는 행렬 A의 j열을 열벡터 $\begin{pmatrix} b_1 \\ b_2 \\ \vdots \\ b_n \end{pmatrix}$로 바꾼 행렬이다.

1) $\begin{cases} 3x+2y=1 \\ 4x-y=2 \end{cases}$의 해를 구하시오.

2) $\begin{cases} 2x-3y=1 \\ -x+6y=7 \end{cases}$ 을 $Cramer$ 법칙을 사용해서 풀어라.

$Ans.$ $x=3,\ y=\dfrac{5}{3}$

14항공

3) 연립방정식 $2x_1-5x_2+2x_3-3x_4=2$ 에 대하여 다음 중 참인 것은?

$x_1+x_2-5x_3+2x_4=4$

$x_2-x_3+2x_4=4$

$x_2-3x_3=10$

단, $M=\begin{bmatrix} 2 & -5 & 2 & -3 \\ 1 & 1 & -5 & 2 \\ 0 & 1 & -1 & 2 \\ 0 & 1 & -3 & 0 \end{bmatrix}$, $A=\begin{bmatrix} -5 & 2 & 2 & -3 \\ 1 & -5 & 4 & 2 \\ 1 & -1 & 4 & 2 \\ 1 & -3 & 10 & 0 \end{bmatrix}$,

$B=\begin{bmatrix} 2 & 2 & 2 & -3 \\ 4 & 1 & -5 & 2 \\ 4 & 0 & -1 & 2 \\ 10 & 0 & -3 & 0 \end{bmatrix}$, $C=\begin{bmatrix} 2 & -5 & -3 & 2 \\ 1 & 1 & 2 & 4 \\ 0 & 1 & 2 & 4 \\ 0 & 1 & 0 & 10 \end{bmatrix}$, $D=\begin{bmatrix} 2 & 2 & 2 & -5 \\ 1 & 4 & -5 & 1 \\ 0 & 4 & -5 & 1 \\ 0 & 10 & -3 & 1 \end{bmatrix}$ 이고 $\det(M)$은 M의 행렬식을 의미한다.

① $x_1=\dfrac{\det(A)}{\det(M)}$ ② $x_2=\dfrac{\det(B)}{\det(M)}$ ③ $x_3=\dfrac{\det(C)}{\det(M)}$ ④ $x_4=\dfrac{\det(D)}{\det(M)}$

$Ans.$ ①

중대

4) 연립방정식의 해 중 x_4의 값을 구하라.

$$\begin{cases} 2x_1 - 2x_2 + x_3 + 2x_4 = 8 \\ x_1 + 3x_2 + x_3 + x_4 = 3 \\ 3x_1 + x_2 + 2x_3 - x_4 = -1 \end{cases}$$

① 1 ② 2 ③ 3 ④ 4

Ans. ③

중대

5) 다음 연립방정식을 만족하는 x_1의 값은?

$$\begin{cases} 2x_1 + 4x_2 - x_3 - 3x_4 = -13 \\ -3x_1 - x_2 + 2x_3 + 4x_4 = 14 \\ x_1 - 3x_2 + 4x_3 - 2x_4 = 6 \\ -4x_1 + 2x_2 - 3x_3 + x_4 = -9 \end{cases}$$

① -1 ② 0 ③ 1 ④ 2

Ans.③

13중대(공대)

6) 열벡터가 $a_1 = \begin{pmatrix} 1 \\ -3 \\ 2 \\ 2 \end{pmatrix}, a_2 = \begin{pmatrix} -1 \\ 4 \\ -5 \\ 6 \end{pmatrix}, a_3 = \begin{pmatrix} 2 \\ 1 \\ -3 \\ -4 \end{pmatrix}, a_4 = \begin{pmatrix} -1 \\ -1 \\ 8 \\ 1 \end{pmatrix}$ 인 행렬 $A = (a_1\ a_2\ a_3\ a_4)$에 대하여 연립방정식 $Ax = b$의 해 x의 모든 성분이 다른 경우 b는?

① $b = a_1 - a_2 + 2a_3$　　② $b = 2a_1 + a_2 + 2a_4$
③ $b = a_2 - a_4$　　④ $b = a_1 + a_2 - 2a_3 - 3a_4$

Ans. ①

17세종

7) 네 개의 1X4 행렬 $A_1 = (1,0,1,0), A_2 = (0,1,1,1), A_3 = (1,2,3,2), A_4 = (3,1,3,1)$ 에 대해 4X4 행렬 B는 $B = \sum_{i=1}^{4} A_i^t A_i$로 정의된다. 행렬 B의 계수(rank)를 구하면? (단, A^t는 A의 전치행렬이다.)

① 0　② 1　③ 2　④ 3　⑤ 4

Ans. ④

20세종

8) 모든 성분이 0인 6x3 행렬을 O라 하자. 영행렬이 아닌 6x3 행렬 A에 대하여

$A\begin{pmatrix} 1 & 2 & 3 \\ 1 & -1 & -1 \\ 5 & 1 & 3 \end{pmatrix} = O$일 때, rank$(A)$를 구하면?

① 1 ② 2 ③ 3 ④ 4 ⑤ 5

Ans. ①

18과기

9) 4차 정사각행렬 C의 j행 k열 성분 c_{jk}는 행렬 A에서 j행 k열 성분 a_{jk}의 여인수이다.
이 때 $\det C$는?

$$A = \begin{pmatrix} 1 & 2 & 3 & -25 \\ 1 & 3 & 4 & 2 \\ 1 & 2 & 15 & 6 \\ 1 & 2 & 13 & 1 \end{pmatrix}$$

① 2 ② 4 ③ 8 ④ 16

Ans. ③

17에리카

10) 행렬 $A=\begin{pmatrix} 1 & 1 & 1 & 1 & \cdots & 1 \\ 0 & 1 & 1 & 1 & \cdots & 1 \\ 0 & 0 & 1 & 1 & \cdots & 1 \\ 0 & 0 & 0 & 1 & \cdots & 1 \\ \vdots & \vdots & \vdots & \vdots & \ddots & \vdots \\ 0 & 0 & 0 & 0 & \cdots & 1 \end{pmatrix}$에 대하여 A^{-1}의 첫 번째 행은?

① $(1,-1,0,0,\cdots,0)$　　② $(1,-1,-1,1,\cdots,1)$

③ $(1,0,-1,0,\cdots,0)$　　④ $(0,-1,-1,1,\cdots,1)$

Ans. ①

17광운

11) n차 정사각 행렬 $A=(a_{ij})$에 대하여 다음 식의 값은?

(단, $A_{ij}=(-1)^{i+j}M_{ij}$이고 M_{ij}는 i행과 j열을 제거하여 만든 부분 행렬의 행렬식이다)

$$a_{i1}A_{j1}+a_{i2}A_{j2}+\cdots+a_{in}A_{jn}\ (\text{단, } i\neq j)$$

① 0　② 1　③ -1　④ $(-1)^n$　⑤ $(-1)^{n+1}$

Ans. ①

$*a_{i1}A_{j1}+a_{i2}A_{j2}+\cdots+a_{in}A_{jn}=\begin{cases}|A|, & i=j \\ 0, & i\neq j\end{cases}$이다.

(단, $A=(a_{ij}), A_{ij}=(-1)^{i+j}M_{ij}$이고 M_{ij}는 i행과 j열을 제거하여 만든 부분 행렬의 행렬식이다.)

14한양

12) 다음 행렬의 계수가 2일 때, $\alpha+\beta$ 의 값은?

$$\begin{pmatrix} 2 & 3 & 4 & 5 \\ 7 & 8 & 9 & 10 \\ 72 & 88 & \alpha & \beta \end{pmatrix}$$

① 224 ② 225 ③ 226 ④ 227

Ans. ①

14한양

13) 다음 행렬의 행렬식을 구하여 4로 나눈 나머지는?

$$\begin{pmatrix} 2 & -1 & 3 & 4 \\ 4 & -2 & 7 & 8 \\ -3 & -4 & 25 & 5 \\ 10 & -6 & 8 & 12 \end{pmatrix}$$

① 0 ② 1 ③ 2 ④ 3

Ans. ③

14중대

14) 다음과 같이 주어진 행렬 N에 대하여 $I+N+N^2$의 역행렬의 모든 성분의 합을 구하면? (단, I는 4×4단위행렬이다.)

$$N=\begin{bmatrix} 0 & -1 & 1 & -1 \\ 0 & 0 & -1 & 1 \\ 0 & 0 & 0 & -1 \\ 0 & 0 & 0 & 0 \end{bmatrix}$$

① 4 ② 5 ③ 6 ④ 7

Ans. ②

17성대

15) 두 행렬 $A=\begin{bmatrix} 1 & 2 & 1 \\ 0 & 1 & 0 \\ 0 & 0 & 1 \end{bmatrix}$와 $B=\begin{bmatrix} 1 & 0 & 0 \\ -3 & -1 & 0 \\ 0 & 2 & 1 \end{bmatrix}$에 대하여 행렬 $(AB)^{-1}$의 모든 성분의 합은?

① -8 ② -6 ③ -4 ④ -2 ⑤ 0

Ans. ②

09서강

16) 자연수 n에 대하여 실수체 R위에서 정의된 n차의 정사각행렬에 대한 명제 중 틀린 것은?

① $A^2=0$이면 A의 행렬식은 0이다.
② A가 정칙행렬이면, A의 열벡터들은 일차독립이다.
③ $AB-BA=I$인 행렬 A와 B가 존재한다.(I는 단위행렬)
④ A,B가 대칭행렬이고 $AB=BA$이면 AB는 대칭행렬이다.

$Ans.$ ③

12과기대

17) $n\times n$행렬 A,B및 C에 대하여 다음 중 틀린 것은?

①$AB=O$이면 $A\neq O$이면 $rank(A)<n$
②A가 특이행렬이면 B^TA^T도 특이행렬이다.
③A가 특이행렬이면 BA도 특이행렬이다.
④$rank\,A=n$이고 $AB=AC$이면 $B=C$이다.

$Ans.$ ①

15명지

18) 두 행렬 $A=\begin{pmatrix} a & 0 & 0 \\ 0 & b & 0 \\ 0 & 0 & c \end{pmatrix}, B=\begin{pmatrix} d & 0 & 0 \\ 0 & e & 0 \\ 0 & 0 & f \end{pmatrix}$에 대하여 옳은 것만을 <보기>에서 있는 대로 고른 것은?(단, $\det(A)$는 A의 행렬식이고, A^{-1}은 A의 역행렬이다.)

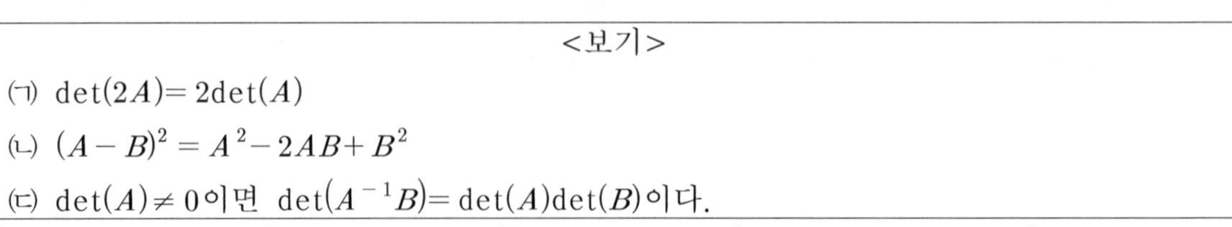

<보기>

(ㄱ) $\det(2A)=2\det(A)$

(ㄴ) $(A-B)^2=A^2-2AB+B^2$

(ㄷ) $\det(A)\neq 0$이면 $\det\left(A^{-1}B\right)=\det(A)\det(B)$이다.

① (ㄱ) ② (ㄴ) ③ (ㄷ) ④ (ㄱ), (ㄴ) ⑤ (ㄴ), (ㄷ)

Ans. ②

17가천

19) 다음 보기 중 옳지 않은 명제의 개수는? (단, A는 3×3 행렬이고, I는 3×3 단위행렬)

ㄱ. $\det(I-A^T)=\det(I-A)$이다. (단, A^T는 A의 전치행렬)

ㄴ. A의 각 성분이 1 또는 0이면 $\det A$는 1, 0 또는 -1이다.

ㄷ. $A^2=A$인 A는 정칙(가역)행렬이다.

ㄹ. $adj(I)=I$ 이다. (단, $adj(A)$는 A의 수반행렬)

① 1 ② 2 ③ 3 ④ 4

Ans. ②

18경기

20) $A^T = A^T A$일 때 다음 중 옳은 것을 모두 고르면?

ㄱ. $A = A^T$
ㄴ. $\det(A) = 1$
ㄷ. $A^2 = A$
ㄹ. $A^{-1} = A^T$

Ans. ㄱ, ㄷ

숭실

21) $n \times n$대칭행렬 A에 대하여 다음 중 옳지 않은 것은?

① A의 역행렬이 존재하면 A^{-1}가 대칭행렬이다.
② A^2이 대칭행렬이다.
③ $A + A^2$이 대칭행렬이다.
④ S가 역행렬을 갖는 $n \times n$ 행렬이면 $S^{-1}AS$가 대칭행렬이다.

Ans. ④

경기

22) 다음 중 옳은 것을 모두 고르면?

ㄱ. $A^TA=O$ 이면 $A=O$이다.
ㄴ. $A+A^2=I$ 이면 A는 가역이다.
ㄷ. n차 정사각행렬 A와 B가 가역이면 $A+B$도 가역이다.
ㄹ. 모든 열벡터들이 1차 독립인 n차 정사각행렬 A와 B에 대하여 곱 AB의 모든 행벡터들도 1차독립이다.

Ans. ㄱ, ㄴ, ㄹ

17경기

23) $n \ge 4$인 자연수 n에 대하여 $(n+1)\times n$

행렬 A가 $A=\begin{bmatrix} 1 & 0 & 0 & \cdots 0 \\ 1 & 2 & 3 & \cdots n \\ n+1 & n+2 & n+3 & \cdots 2n \\ 2n+1 & 2n+2 & 2n+3 & \cdots 3n \\ \vdots & \vdots & \vdots & \vdots \\ n^2-n+1 & n^2-n+2 & n^2-n+3 & \cdots n^2 \end{bmatrix}$ 이면, A의 위수(rank)는?

① 2 ② 3 ③ n ④ $n+1$

Ans. ②

20과기

24) 연립방정식

$$\begin{bmatrix} 2 & 6 & 6 & 4 \\ 2 & 6 & 9 & 5 \\ -1 & -3 & 3 & 0 \end{bmatrix} \begin{bmatrix} x_1 \\ x_2 \\ x_3 \\ x_4 \end{bmatrix} = \begin{bmatrix} b_1 \\ b_2 \\ b_3 \end{bmatrix}$$

이 모든 b_1, b_2, b_3 에 대해서 근을 가질 필요충분조건이

$\alpha b_1 + \beta b_2 + 2b_3 = 0$일 때, $\alpha + \beta$의 값은?

① -1 ② 1 ③ -2 ④ 2

Ans. ②

18과기

25) 다음 행렬 A에 대하여,

벡터 $v_1 = (1,0,0,0), v_2 = (1,1,0,0), v_3 = (1,1,1,0), v_4 = (1,1,1,1)$ 중 $Aw = v_i$ 를 만족하는

벡터 $w \in R^5$가 존재하는 i값들의 합은?

$$A = \begin{pmatrix} 0 & 3 & 2 & 6 & 1 \\ 5 & 3 & 1 & 5 & 0 \\ 5 & 3 & 0 & 4 & 0 \\ 5 & 3 & 0 & 4 & 0 \end{pmatrix}$$

① 3 ② 6 ③ 7 ④ 10

Ans. ③

19에리카

26) 3×5행렬 $A=[a_1,a_2,a_3,a_4,a_5]$의 기약 행사다리꼴 행렬이 다음과 같다.

$U=\begin{bmatrix}1&2&0&5&-3\\0&0&1&-1&2\\0&0&0&0&0\end{bmatrix}$ $a_1=\begin{bmatrix}1\\2\\3\end{bmatrix}$, $a_4=\begin{bmatrix}3\\5\\8\end{bmatrix}$이라 할 때, a_5의 값은?

① $\begin{bmatrix}1\\0\\1\end{bmatrix}$ ② $\begin{bmatrix}1\\4\\5\end{bmatrix}$ ③ $\begin{bmatrix}2\\5\\7\end{bmatrix}$ ④ $\begin{bmatrix}3\\8\\11\end{bmatrix}$

Ans. ②

17과기대

27) 연립방정식

$$\begin{aligned}x_1+x_2+x_3+x_4&=1\\2x_1+x_2+x_3+x_4&=4\\-x_1+6x_2+5x_3+x_4&=5\\4x_1+x_2+3x_3+2x_4&=6\end{aligned}$$

의 첨가행렬에 Gauss 소거법을 적용하였을 때 얻어지는 계단행렬을

$\left[\begin{array}{cccc|c}1&1&1&1&1\\0&-1&-1&a&2\\0&0&-1&b&20\\0&0&0&c&d\end{array}\right]$ 라고 할 때, $a+b+\dfrac{d}{c}$ 의 값은?

① −20 ② −15 ③ −10 ④ −5

*Ans.*③

*기본행렬E

단위행렬 I_n에서 기본 행 연산을 한차례 수행하여 얻어지는 행렬이다.

기본행렬 E의 성질 : ① E는 가역행렬 ② E^{-1}도 가역행렬이면서 기본행렬이다.

*기본행 연산
① 두 행의 위치를 맞 바꾼다.
② 하나의 행에 0이 아닌상수를 곱한다.
③ 하나의 행에 임의의 상수 k를 곱해 다른 행에 더한다.

n차 정방행렬 A일때 다음은 동치명제이다.
① A는 기본행렬의 곱으로 표현가능하다.
② A는 역행렬이 존재한다.(가역)
③ $AX=O$은 유일한 해를 갖는다.(자명한해)
④ A의 기약 사다리꼴 행렬(기약 가우스 행렬)은 I_n이다.

1) 행렬 $A=\begin{pmatrix}1&0&1\\2&1&2\\1&-1&2\end{pmatrix}$로 주어질 때 식 $E_3E_2E_1A=U$를 만족하는 기본행렬(Elementary Matrix) E_1, E_2, E_3와 U로 옳지 않은 것은? 여기서 U는 위쪽 삼각행렬 (Upper Triangular Matrix)이다.

① $E_1=\begin{pmatrix}1&0&0\\-2&1&0\\0&0&1\end{pmatrix}$ ② $E_2=\begin{pmatrix}1&0&0\\0&1&0\\-1&0&1\end{pmatrix}$ ③ $E_3=\begin{pmatrix}1&0&0\\0&1&0\\0&1&1\end{pmatrix}$ ④ $U=\begin{pmatrix}1&0&2\\0&1&0\\0&1&1\end{pmatrix}$

Ans. ④

17항공

2) 다음 중 참인 것을 모두 포함하는 집합은?

<보기>

a. E가 기본행렬이면 역행렬 E^{-1}가 존재하고 E^{-1}도 기본행렬이다.

b. $n\times n$행렬 A는 대칭이고 가역일 때, $A^{-1}=(A^{-1})^T$이다.

c. $m\times n$행렬 A에 대해서 AA^T와 A^TA는 대칭행렬이다.

① $\{a, b\}$ ② $\{a, c\}$ ③ $\{b, c\}$ ④ $\{a, b, c\}$

$Ans.$ ④

<벡터>

1.스칼라와 벡터

① 스칼라(scalar): 크기만을 갖는 양 (ex.면적,부피,속력,질량,길이,온도 등)

② 벡터(vector): 크기와 방향을 갖는 양 (ex.힘,속도,가속도,전기장 등)

(1). 벡터의 표현

2차원 벡터 :

$\vec{a}=(a_1, a_2)=a_1 i + a_2 j$ (i,j는 양의 x,y축 방향의 단위벡터 또는 기저)

3차원 벡터 :

$\vec{a}=(a_1,a_2,a_3)=a_1 i + a_2 j + a_3 k$($i,j,k$는 양의 x,y,z축 방향의 단위벡터 또는 기저)

(2). 벡터의 크기(norm=길이): 벡터의 각 성분의 제곱의 합에 거듭제곱근을 시킨 것.
절댓값 기호($|\vec{a}|$)를 이용하거나 $norm$의 기호($\|\vec{a}\|$)를 이용하기도 한다.
($norm$은 원점에서 그 벡터까지의 거리이다.)

1)2차원 벡터의 크기 : $\|\vec{a}\| = |\vec{a}| = \sqrt{a_1^2 + a_2^2}$

2)3차원 벡터의 크기 : $\|\vec{a}\| = |\vec{a}| = \sqrt{a_1^2 + a_2^2 + a_3^2}$

(3). 단위벡터: 크기가 1인 벡터(주어진 벡터를 크기로 나눈 것)

$\vec{u}=\dfrac{\vec{a}}{|\vec{a}|}, (\vec{a} \neq \vec{0})$

(4). 영벡터: 크기가 0인 벡터이고 $\vec{0}$로 나타낸다.

(5). 역벡터: 벡터$\overrightarrow{AB}$와 크기가 같고, 방향이 반대인 벡터이고 $-\overrightarrow{AB}$로 나타낸다.

(6). 벡터의 상등

두벡터 $\overrightarrow{AB}, \overrightarrow{CD}$에서 그 크기와 방향이 각각 같을 때, 이 두벡터는 같다고 한다.($\overrightarrow{AB}=\overrightarrow{CD}$)

(7). 벡터의 연산

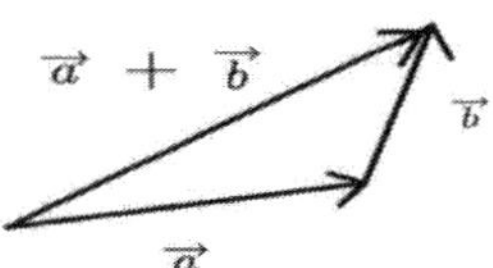

2.뺄셈

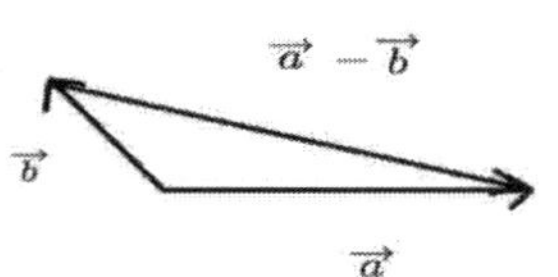

3.스칼라 배

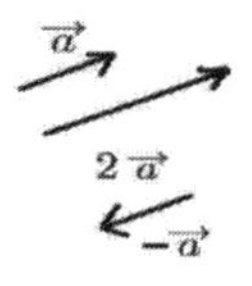

(8). 벡터의 성질

$\vec{a}=(a_1,a_2,a_3), \vec{b}=(b_1,b_2,b_3)$가 위치벡터이고 s,t가 스칼라일 때,

① $\vec{a} \pm \vec{b}=(a_1 \pm b_1, a_2 \pm b_2, a_3 \pm b_3)$ ② $\vec{a}+(-\vec{a})=\vec{0}$ ③ $s\vec{a}=(sa_1, sa_2, sa_3)$

④ $s(\vec{a}+\vec{b})=s\vec{a}+s\vec{b}$ ⑤두 벡터가 평행할 때는 $\vec{a}//\vec{b} \Leftrightarrow (\vec{a}=t\vec{b})$

(9). 벡터의 일차결합

임의의 벡터 $\overrightarrow{a_1}, \overrightarrow{a_2}, \overrightarrow{a_3}, \cdots$ 를 실수배하여 더하는 연산. $ex)2\overrightarrow{a_1}+3\overrightarrow{a_2}$

1. 두 벡터 $\vec{a}=(2,4)$, $\vec{b}=(-1,-3)$에 대하여 $\| -\vec{a}+2\vec{b} \|$ 의 값은?

① $\sqrt{65}$ ② $2\sqrt{13}$ ③ $\sqrt{32}$ ④ $\sqrt{116}$

Ans. ④

2. $\vec{a}=(1,2)$, $\vec{b}=(3,-1)$일 때 $5\vec{x}+2\vec{a}+\vec{b}=\vec{a}-\vec{b}$를 만족하는 $\vec{x}$의 성분의 합은?

① $\frac{-7}{5}$ ② -2 ③ 1 ④ $\frac{7}{5}$

Ans. ①

3. 벡터 $\vec{a}=(1,2,-2)$와 평행하고 크기가 9인 벡터를 $\vec{b}=(x,y,z)$라 할 때, $x+y+z$의 값은?

① -1 or1 ② -2 or 2 ③ -3 or3 ④ -5or 5

Ans. ③

4. 두 점 $A(1,1,2)$, $B(2,-1,0)$에 대하여 다음 중 $\overrightarrow{AB}$와 방향이 반대이고 크기가 6인 벡터는?

① $(-4,-2,4)$ ② $(-4,4,2)$ ③ $(2,-4,-4)$ ④ $(-2,4,4)$

Ans. ④

5. $\vec{a}=(2,-3), \vec{b}=(-4,1), \vec{c}=(1,1)$일 때 $\vec{a}+t\vec{b}$가 $\vec{c}$와 평행하게 되도록 t의 값을 구하면?

① -1 ② 1 ③ 2 ④ 3

Ans. ②

< 벡터의 내적 >

벡터 $\vec{a}=(a_1, a_2, a_3), \vec{b}=(b_1, b_2, b_3)$ 그리고 $\vec{a}, \vec{b}$가 이루는 사잇각 $\theta(0 \le \theta \le \pi)$

일 때, $\vec{a} \cdot \vec{b} = |\vec{a}||\vec{b}|\cos\theta = a_1b_1 + a_2b_2 + a_3b_3 =$ 상수(스칼라)

$\cos\theta = \dfrac{\vec{a} \cdot \vec{b}}{|\vec{a}||\vec{b}|}$ (θ는 사잇각)

*내적의 성질

1. $\vec{a} \cdot \vec{b} = \vec{b} \cdot \vec{a}$ (교환법칙 성립)

2. $\vec{a} \cdot (\vec{b} + \vec{c}) = \vec{a} \cdot \vec{b} + \vec{a} \cdot \vec{c}$ (분배법칙 성립)

3. $\vec{a} \cdot m\vec{b} = m\vec{a} \cdot \vec{b} = m(\vec{a} \cdot \vec{b})$

4. $\vec{a} \perp \vec{b} \Leftrightarrow \vec{a} \cdot \vec{b} = 0$ (단, $\vec{a}, \vec{b} \neq \vec{0}$)

5. $\vec{a} \cdot \vec{a} = |\vec{a}|^2$

6. $\vec{a} \cdot \vec{b} = 0$의 해는 $\vec{a} = 0$ or $\vec{b} = 0$ or $\vec{a} \perp \vec{b}$

1) $\vec{u} = -i + 4j + k$, $\vec{v} = 3j - 3k$의 사잇각은?

Ans. $\theta = \cos^{-1}\dfrac{1}{2} = \dfrac{\pi}{3}$

2) $\vec{a}=(x,1,-2)$, $\vec{b}=(0,y,2)$, $\vec{c}=(1,3,z)$이 서로 수직일때 $x+y+z=?$

$Ans.\ y=4,\ z=-6,\ x=-15,\ x+y+z=-17$

3) $\vec{A}-c\vec{B}$와 $\vec{B}$가 서로 수직일때, c를 나타내라.

$Ans.\ c=\dfrac{\vec{A}\cdot\vec{B}}{|\vec{B}|^2}$

4) $|\vec{a}+\vec{b}|^2+|\vec{a}-\vec{b}|^2=2(|\vec{a}|^2+|\vec{b}|^2)$ 참, 거짓을 판단해라.

5) $|\vec{a}+\vec{b}|^2=|\vec{a}-\vec{b}|^2 \Leftrightarrow \vec{a}\perp\vec{b}$ 증명해라.

6) $|\vec{a}|=2|\vec{b}|\neq 0$ 이고, $(\vec{a}+\vec{b})\perp(5\vec{b}-2\vec{a})$일 때, $\vec{a}$와 $\vec{b}$가 이루는 각의 크기는?
$Ans.\,\pi/3$

7) $\vec{u}$, $\vec{v}$가 이루는 각은 $\frac{\pi}{3}$이고, $|\vec{u}|=6$, $(\vec{u}+\vec{v})\perp(2\vec{u}-5\vec{v})$일 때, $|\vec{v}|$을 구하라.
$Ans.3$

<정사영벡터>

$\vec{b}$를 $\vec{a}$에 정사영 벡터 $Proj_{\vec{a}}\vec{b}=\frac{\vec{b}\cdot\vec{a}}{\vec{a}\cdot\vec{a}}\vec{a}$

$\vec{a}$위로의 $\vec{b}$의 스칼라사영 $comp_{\vec{a}}\vec{b}=|\vec{b}|\cos\theta=\frac{|\vec{a}||\vec{b}|\cos\theta}{|\vec{a}|}=\frac{\vec{a}\cdot\vec{b}}{|\vec{a}|}=\frac{\vec{b}\cdot\vec{a}}{|\vec{a}|}$

1) $\vec{a}=i+j-2k$를 $\vec{b}=2i-3j-k$에 정사영시킨 벡터를 구하시오.
$Ans.\ \frac{1}{14}(2i-3j-k)$

2) 두 벡터 $a=<0,1,2>, b=<-1,1,2>$ 에 대하여 a를 b위에 사영한 벡터의 모든성분의 합과 스칼라 사영의 값을 각각 구하라.
$Ans.\ 5/3,\ 5\sqrt{6}/6$

19에리카
3) 구간 $[0,1]$에서 연속인 함수의 벡터 공간 $C[0,1]$에서의 내적을 다음과 같이 정의할 때, $<f,g> = \int_0^1 f(x)g(x)dx$, $f(x)=x^2$위로의 $g(x)=x$의 정사영은?

① $\frac{3}{5}x^2$ ② $\frac{4}{5}x^2$ ③ $\frac{5}{4}x^2$ ④ $\frac{5}{3}x^2$

$Ans.$ ③

<벡터의 외적>

$\vec{a}=(a_1,a_2,a_3)$, $\vec{b}=(b_1,b_2,b_3)$의 사잇각 $\theta(0\le\theta\le\pi)$일때.

$\vec{a}\times\vec{b}=$ 벡터 $\vec{a},\vec{b}$에 동시에 수직인 벡터. (3차원공간상으로 존재)

*외적의 계산.

$$\vec{a}\times\vec{b}=\begin{vmatrix} i & j & k \\ a_1 & a_2 & a_3 \\ b_1 & b_2 & b_3 \end{vmatrix}=\begin{vmatrix} a_2 & a_3 \\ b_2 & b_3 \end{vmatrix}i-\begin{vmatrix} a_1 & a_3 \\ b_1 & b_3 \end{vmatrix}j+\begin{vmatrix} a_1 & a_2 \\ b_1 & b_2 \end{vmatrix}k$$

*우수계 법칙(오른나사법칙)

$\vec{a}\times\vec{b}=-(\vec{b}\times\vec{a})$

*외적의크기

$|\vec{a}\times\vec{b}|=|\vec{a}||\vec{b}|\sin\theta=\sqrt{|\vec{a}|^2|\vec{b}|^2-(\vec{a}\cdot\vec{b})^2}=\sqrt{(\vec{a}\cdot\vec{a})(\vec{b}\cdot\vec{b})-(\vec{a}\cdot\vec{b})^2}$:(라그랑지 항등식)

$|\vec{a}\times\vec{b}|$: $\vec{a},\vec{b}$를 이웃으로 하는 평행사변형의 넓이

$\frac{1}{2}|\vec{a}\times\vec{b}|$: $\vec{a},\vec{b}$를 이웃으로 하는 삼각형의 넓이

외적의 성질

(1) $\vec{a}\times\vec{b}=-(\vec{b}\times\vec{a})$ (교환법칙 성립×)

(2) $\vec{a}\times(\vec{b}+\vec{c})=\vec{a}\times\vec{b}+\vec{a}\times\vec{c}$ (분배법칙 성립)

(3) $\vec{a}\times m\vec{b}=m\vec{a}\times\vec{b}=m(\vec{a}\times\vec{b})$

(4) $\vec{a}\times(\vec{b}\times\vec{c})\neq(\vec{a}\times\vec{b})\times\vec{c}$ (결합법칙 성립×)

(5) $\vec{a}\times(\vec{b}\times\vec{c})=(\vec{a}\cdot\vec{c})\vec{b}-(\vec{a}\cdot\vec{b})\vec{c}$

$(\vec{a}\times\vec{b})\times\vec{c}=(\vec{a}\cdot\vec{c})\vec{b}-(\vec{b}\cdot\vec{c})\vec{a}$

(6) $|\vec{a}\times\vec{b}|^2=(|\vec{a}||\vec{b}|\sin\theta)^2=|\vec{a}|^2|\vec{b}|^2(1-\cos^2\theta)$
$=|\vec{a}|^2|\vec{b}|^2-|\vec{a}|^2|\vec{b}|^2\cos^2\theta=(\vec{a}\cdot\vec{a})(\vec{b}\cdot\vec{b})-(\vec{a}\cdot\vec{b})^2$

(7) ① $\vec{a}\times\vec{a}=\vec{0}, \vec{a}\times m\vec{a}=\vec{0}$ ② $\vec{a}\times\vec{b}=\vec{a}\times\vec{c} \not\Leftrightarrow \vec{b}=\vec{c}$

(8) $(\vec{a}\times\vec{b})\cdot(\vec{c}\times\vec{d})=\begin{vmatrix} a\cdot c & a\cdot d \\ b\cdot c & b\cdot d \end{vmatrix}=(\vec{a}\cdot\vec{c})(\vec{b}\cdot\vec{d})-(\vec{a}\cdot\vec{d})(\vec{b}\cdot\vec{c})$

(9) $\vec{a}\times\vec{b}=0$의 해 : $\vec{a}=0$ or $\vec{b}=0$ or $\vec{a}\mathbin{/\!/}\vec{b}$

$\vec{a}\times\vec{b}=0\Leftrightarrow\vec{a}\mathbin{/\!/}\vec{b}$ (단, $\vec{a}\neq 0,\vec{b}\neq 0$)

<공간상의 직선의 방정식>

점 $A(x_1,y_1,z_1)$을 지나고 벡터 $\vec{a}=(l,m,n)$에 평행한 직선의 방정식

$$\frac{x-x_1}{l}=\frac{y-y_1}{m}=\frac{z-z_1}{n}$$

매개변수 방정식 : $x=lt+x_1,\ y=mt+y_1,\ z=nt+z_1$

1) 공간상의 두점 $A(1,3,2)$, $B(2,5,-1)$을 지나는 직선

2) $A(1,2,3)$을 지나고 직선 $\frac{x+1}{2}=\frac{y-2}{-3}=\frac{z-3}{4}$에 평행한 직선의 방정식은?

3) $A(2,4,6)$, $B(1,2,2)$을 지나는 직선과 $C(3,7,2)$, $D(1,4,4)$를 지나는 직선의 교각은?

$Ans.\ \theta=\frac{\pi}{2}$

4) 점 $(2,4,-3),(3,-1,1),(a,b,-7)$이 공간상의 한 직선에 있을 때 $a+b=?$

Ans. 10

5) 세 점 $A(1,-1,-1)$ $B(1,2,1)$, $C(-1,2,3)$을 지나는 평면에 수직이고

점 $(1,1,1)$을 지나는 직선?

Ans. $\frac{x-1}{3}=\frac{y-1}{-2}=\frac{z-1}{3}$

6) 점 $A(3,-1,4)$와 직선 $l=\frac{x-4}{4}=\frac{y-1}{3}=\frac{z-2}{5}$의 최단거리?

Ans. 3

<공간상의 평면의 방정식>

* 점 A가 (x_1, y_1, z_1)이고 그 점을 지나고 벡터 $\vec{h} = (a,b,c)$에 수직인 평면의 방정식

$a(x-x_1)+b(y-y_1)+c(z-z_1)=0$, $ax+by+cz=d$, $(a,b,c)=$ 법선벡터

1) 점 $(3,-1,7)$을 지나고 벡터 $(4,2,-5)$에 수직인 평면의 방정식?

$Ans.\, 4(x-3)+2(y+1)-5(z-7)=0$

2) 점 $(1,2,-1)$을 지나고 평면 $2x-3y+4z+6=0$에 평행인 평면의 방정식?

$Ans.\ 2(x-1)-3(y-2)+4(z+1)=0$

3) 세 점 $P(0,0,0)$, $Q(1,1,1)$, $R(3,2,-1)$을 포함하는 평면의 방정식?

$$Ans. \begin{vmatrix} i & j & k \\ 1 & 1 & 1 \\ 3 & 2 & -1 \end{vmatrix} = -3i+4j-k$$

4) 세 점 $A(1,1,1)$, $B(3,-1,2)$, $C(0,1,5)$를 포함하는 평면의 방정식

Ans. $-8(x-1)-9(y-1)-2(z-1)=0$

17성대

5) 좌표 공간 안의 세 점(1,1,0), (1,0,1), (0,1,1)을 지나는 평면 위에 있는 점은?

① (0,0,1) ② (2,1,0) ③ (2,1,−1) ④ (−1,1,−1) ⑤ (1,0,−1)

Ans. ③

6) 직선 $\frac{x-1}{2}=\frac{y+1}{3}=\frac{z-1}{4}$에 수직이고 점$(1,1,-1)$을 지나는 평면의 방정식을 $ax+by+cz=2$로 나타낼 때 $a+b+c=?$

Ans. $2(x-1)+3(y-1)+4(z+1)=0$, $a+b+c=18$

7) 점 $A(1,2,3)$, 직선 $\frac{x-2}{3}=\frac{y-1}{2}=\frac{z-3}{4}$를 포함하는 평면의 방정식은?

$Ans.\,4(x-1)+4(y-2)-5(z-3)=0$

8) 직선 $x=y=z$를 포함하고 점 $(1,2,3)$을 지나는 평면의 방정식은?

$Ans.\,-(x-1)+2(y-2)-(z-3)=0$

9) 공간상의 네점 $A(1,0,1)$, $B(-1,1,0)$, $C(-2,0,2)$, $D(2,1,-2)$에 대해
선분 AB를 포함하고 선분 CD에 평행인 평면의 방정식?

$Ans.\,(x-1)+4y+2(z-1)=0$

10) 두 점 $A(-1,2,3)$, $B(2,1,5)$를 지나고 평면 $4x-y+3z=2$에 수직인 평면의 방정식?

Ans. $-(x+1)-(y-2)+(z-3)=0$

11) 한 점 $(2,1,-3)$을 포함하고 두 평면 $x+2y-3z=8$, $2x+3y-2z=5$에 수직인 평면의 방정식은?

Ans. $5(x-2)-4(y-1)-(z+3)=0$

12) 두 평면 $x+2y+3z=0$과 $-3x+4y+z=0$의 교선과 평행인 벡터?

Ans. $(-1,-1,1)$

13) 두 평면 $x+2y+3z=4,\ -x+3y-5z=1$의 교선의 방정식?

$Ans.\ \frac{x-2}{-19}=\frac{y-1}{2}=\frac{z}{5}$

14) 네 점 $P(2,-2,0),\ Q(3,0,0),\ R(-3-2,2), S(a,-9,-1)$이 한 평면상에 있을 때 a값은?

$Ans.\ 1$

15) 두평면 $x+2y+3z=4,\ 3x-2y-z=1$의 사잇각은?

$Ans.\ \theta=\cos^{-1}\left(\frac{-2}{7}\right)$

16) 두 평면 $x+y+z=1$과 $x-y+z=-1$의 사잇각은?

(a) $\frac{\pi}{6}$ (b) $\frac{\pi}{4}$ (c) $\sin^{-1}\frac{2\sqrt{2}}{3}$ (d) $\cos^{-1}\left(\frac{\sqrt{3}}{3}\right)$

Ans. (c)

17) 다음 직선과 평면이 이루는 각을 θ라 할 때, $\sin\theta$의 값은?

$2(x+1)=3(y+2)=6z,\ 3x+2y-z=3$

Ans. 6/7

18경기

18) 평면 $z=0$과 이루는 사잇각이 $\frac{\pi}{3}$이고 점 $P(2,1,1)$을 지나는 평면은?

① $x+\sqrt{2}y+\sqrt{2}z=2+2\sqrt{2}$ ② $\sqrt{2}x+y+\sqrt{2}z=1+3\sqrt{2}$

③ $x+\sqrt{2}y+z=3+\sqrt{2}$ ④ $\sqrt{2}x+\sqrt{2}y+z=1+3\sqrt{2}$

Ans. ③

19광운

19) 영벡터가 아닌 벡터

$\vec{x}, \vec{u}, \vec{v}$에 대하여 $\vec{x} = |\vec{u}|\,\vec{v} + |\vec{v}|\,\vec{u}$가 성립한다. $\vec{x}$와 $\vec{u}$가 이루는 각이 $\frac{\pi}{6}$일 때

$\vec{u}$와 $\vec{v}$가 이루는 각의 크기는?

① $\frac{\pi}{12}$ ② $\frac{\pi}{6}$ ③ $\frac{\pi}{4}$ ④ $\frac{\pi}{3}$ ⑤ $\frac{\pi}{2}$

Ans. ④

21경희

20) R^3에서 두 점 $(3,1,4),(a,0,b)$를 지나는 직선이 세점 $(0,0,0),(1,2,1),(5,4,3)$을 포함하는 평면에 수직일 때, $b-a$의 값은?

① -1 ② 1 ③ 3 ④ 5 ⑤ 7

Ans. ④

* $A(x_1, y_1, z_1)$에서 평면 $ax+by+cz+d=0$ 과의 거리 d.

$$d=\frac{|ax_1+by_1+cz_1+d|}{\sqrt{a^2+b^2+c^2}}$$

1) 점$(1,5,4)$에서 평면 $3x-y+2z=6$까지 거리는?

$$d=\frac{|3-5+8-6|}{\sqrt{9+1+4}}=0 \Rightarrow \text{ 평면위의 점.}$$

2) 평면 $\alpha x+(\alpha+2)y+4z=36$이 구 $x^2+y^2+z^2=36$에 접하도록 α값을 구하라.

Ans. $\alpha=-4, 2$

18경기

3) 직선 $\frac{x-3}{2}=y-5=\frac{z+4}{3}$과 평면 $-2x+y+z=3$ 사이의 최단거리는?

① 0 ② $\frac{4\sqrt{6}}{3}$ ③ $\frac{2\sqrt{6}}{3}$ ④ $\frac{\sqrt{6}}{3}$

Ans. ②

15숙대
4) 원점과 점 $(2,0,-1)$을 지나는 직선과 점 $(1,-1,1)$과 점 $(7,3,5)$를 지나는 직선이 있다. 이 두 직선 사이의 거리는?

① $\frac{12}{\sqrt{69}}$ ② $\frac{13}{\sqrt{69}}$ ③ $\frac{14}{\sqrt{69}}$ ④ $\frac{15}{\sqrt{69}}$ ⑤ $\frac{16}{\sqrt{69}}$

Ans. ②

5) 점 $P(2,1,0)$과 평면 $x+y-z=0$에 대하여 대칭인 점의 좌표는?

Ans. $(0,-1,2)$

18숭실
6) 두 점 $(1,2,3)$과 $(5,-1,4)$로부터 같은 거리에 있는 점들로 이루어진 평면의 방정식은?

① $4x-3y+z=14$ ② $4x+2y-5z=13$ ③ $3x-y-z=6$ ④ $x+y-z=0$

Ans. ①

19인하

7) 공간상의 점 (5,−1,4)과 (−3,7,−2)에서 같은 거리에 있는 점들이 모두 $ax+by+cz=1$을 만족한다고 할 때, $a+b+c$의 값은?

① 0 ② $-\frac{1}{5}$ ③ $-\frac{2}{5}$ ④ $-\frac{3}{5}$ ⑤ $-\frac{4}{5}$

Ans. ④

20인하

8) 세 점(−1,1,2), (0,3,5), (−3,−1,−1)을 지나는 평면과 원점을 지나는 직선이 수직으로 만날 때, 교점은?

① $\left(0,-\frac{1}{5},\frac{1}{5}\right)$ ② $\left(0,-\frac{1}{7},\frac{2}{7}\right)$ ③ $\left(0,-\frac{3}{11},\frac{1}{11}\right)$ ④ $\left(0,-\frac{3}{13},\frac{2}{13}\right)$ ⑤ $\left(0,-\frac{3}{15},\frac{3}{15}\right)$

Ans. ④

11국민
9)좌표공간위에서 두 평면 $2x-y-2z=6$, $3x+2y-6z-12=0$사이의 각을 이등분하는 직선의 방정식을 구하라.

① $5x-13y+4z-6=0$, $23x+y-32z-78=0$
② $5x+13y+4z-6=0$, $23x-y-32z-78=0$
③ $5x-13y+4z-6=0$, $23x-y-32z-78=0$
④ $5x+13y+4z-6=0$, $23x+y-32z-78=0$

Ans. ③

10) 평면 $x+2y+2z=3$에 벡터 $\vec{b}=(1,-1,0)$을 정사영(*projection*)시킨 벡터를 구하면?

① $\left(\frac{10}{3},\frac{-7}{3},\frac{-1}{3}\right)$ ② $\left(\frac{2}{9},\frac{-4}{9},\frac{2}{9}\right)$ ③ $\left(\frac{4}{3},\frac{7}{2},\frac{-8}{3}\right)$ ④ $\left(\frac{10}{9},\frac{-7}{9},\frac{2}{9}\right)$

Ans. ④

11) 두 점 $P(1,1,1)$, $Q(3,0,4)$ 에서 평면 $2x-2y+z=4$ 위에 내린 수선의 발을 각각 P_1, Q_1이라 할 때, $\overline{P_1Q_1}$의 길이는?

$Ans.$ $\sqrt{5}$

15성대

12) 좌표공간에서 점 $P(1, 0, -2)$를 평면 $x+2y+z=4$위로 직교사영시킨 점의 좌표는?

① $\left(\frac{5}{3}, \frac{5}{3}, -1\right)$ ② $\left(\frac{11}{6}, \frac{4}{3}, -\frac{1}{2}\right)$ ③ $\left(\frac{5}{3}, \frac{11}{6}, -\frac{4}{3}\right)$ ④ $\left(\frac{11}{6}, \frac{5}{3}, -\frac{7}{6}\right)$ ⑤ $\left(\frac{7}{3}, \frac{5}{6}, 0\right)$

$Ans.$ ④

18홍대
13) 영벡터가 아닌 두 3차원 벡터 a와 b에 대해서, 다음 중 b와 수직이 아닐 수 있는 것을 고르시오. (단, $proj_a b$는 벡터 a로 내린 b의 사영벡터이다.)

①$a\times b$ ②$b-proj_a b$ ③$(a-2b)\times(b-2a)$ ④$(b\cdot b)a-(a\cdot b)b$

Ans. ②

19건대
14) 두 벡터 $\vec{a}=(2,3,7), \vec{b}=(1,0,7)$에 대하여 $\vec{a}$를 $\vec{b}$ 와 평행한 벡터 $\overrightarrow{a_T}$와 $\vec{b}$와 수직인 벡터 $\overrightarrow{a_N}$ 의 합으로 나타내자. 이 때 $\overrightarrow{a_T}$는?

① $\overrightarrow{a_T}=\left(\frac{51}{52},0,\frac{357}{52}\right)$ ② $\overrightarrow{a_T}=\left(\frac{49}{52},0,\frac{343}{52}\right)$ ③ $\overrightarrow{a_T}=(1,0,7)$
④ $\overrightarrow{a_T}=\left(\frac{49}{50},0,\frac{363}{50}\right)$ ⑤ $\overrightarrow{a_T}=\left(\frac{51}{50},0,\frac{357}{50}\right)$

Ans. ⑤

17에리카

15) 성분이 실수인 벡터 $\vec{v}$와 $\vec{w}$의 내적을 $\vec{v} \cdot \vec{w}$로 나타낼 때, 다음 중 옳은 것은?

① $(\vec{v} \cdot \vec{w}) \leq (\vec{v} \cdot \vec{v})(\vec{w} \cdot \vec{w})$ ② $(\vec{v} \cdot \vec{w}) \geq (\vec{v} \cdot \vec{v})(\vec{w} \cdot \vec{w})$

③ $(\vec{v} \cdot \vec{w})^2 \leq (\vec{v} \cdot \vec{v})(\vec{w} \cdot \vec{w})$ ④ $(\vec{v} \cdot \vec{w})^2 \geq (\vec{v} \cdot \vec{v})(\vec{w} \cdot \vec{w})$

Ans. ③

17항공

16) 두 벡터 A와 B가 같은 평면 위에 있다. 두 벡터의 크기가 $|A| = |B| = a$이고 두 벡터 사잇각이 θ일 때, 다음 중 옳은 것은? $\left(단, 0 < \theta < \frac{\pi}{2}\right)$

① $|A+B| = 2a\sin\frac{\theta}{2}$ ② $|A-B| = 2a\cos\frac{\theta}{2}$

③ $|A+B|^2 - |A-B|^2 = 4a^2\cos\theta$ ④ $|A+B|^2 + |A-B|^2 = 4a^2\sin\theta$

Ans. ③

16항공
17) 3차원 공간상의 세 점 $X=(-1,0,1)$, $Y=(1,0,0)$, $O=(0,0,0)$을 고려하자. 세 점 사이의 각 $\angle XOY$는 얼마인가?

① 45° ② 60° ③ 135° ④ 150°

Ans. ③

18) 공간에서 두 점 $P(1,3,2)$, $Q(-1,2,0)$을 양 끝점으로 하는 선분 PQ와 만나는 평면의 방정식은?

① $3x-z=0$ ② $x+2y-z=0$ ③ $-x+2y+z=0$ ④ $x+y+z=0$

Ans. ①

19) 두 직선
$L_1 : \dfrac{x-5}{2}=y-1=z+2$, $L_2 : x+3=y+2=\dfrac{z-4}{2}$ 사이에 있는 평면의 방정식은?

① $x-3y+z=4$ ② $x-3y+z=-2$ ③ $x+3y-z=4$ ④ $x+3y-z=-2$

Ans. ①

<스칼라 3중적>

$\vec{a}=(a_1,a_2,a_3)$, $\vec{b}=(b_1,b_2,b_3)$, $\vec{c}=(c_1,c_2,c_3)$ 세 벡터에서

$\vec{a}\cdot\vec{b}\times\vec{c}=\vec{a}\cdot(\vec{b}\times\vec{c})=(\vec{a}\times\vec{b})\cdot\vec{c}\neq(\vec{a}\cdot\vec{b})\times\vec{c}$

$=\begin{vmatrix} i & j & k \\ b_1 & b_2 & b_3 \\ c_1 & c_2 & c_3 \end{vmatrix}\cdot(a_1,a_2,a_3)=\begin{vmatrix} a_1 & a_2 & a_3 \\ b_1 & b_2 & b_3 \\ c_1 & c_2 & c_3 \end{vmatrix}=\vec{a}\cdot\vec{b}\times\vec{c}$ ⇒스칼라 3중적(동일시점)

($\vec{a},\vec{b},\vec{c}$를 이웃으로 하는 평행육면체의 부피)

18이대

1) 원 $x^2+y^2+z^2=3$ 위의 두 점 $A=(a_1,a_2,a_3), B=(b_1,b_2,b_3)$ 에 대하여
$||A\times B||^2+(A\circ B)^2$을 구하시오.

① 3 ② 6 ③ 9 ④ 18 ⑤ 81

Ans. ③

2) $\vec{a}=2i-j-2k$, $\vec{b}=i+2j-3k$, $\vec{c}=-2i+4j+6k$ 일때, $(\vec{a}\times\vec{b})\times\vec{c}=?$

Ans. $\vec{a}\times\vec{b}=\begin{vmatrix} i & j & k \\ 2 & -1 & -2 \\ 1 & 2 & -3 \end{vmatrix}=7i+4j+5k$, $(\vec{a}\times\vec{b})\times\vec{c}=\begin{vmatrix} i & j & k \\ 7 & 4 & 5 \\ -2 & 4 & 6 \end{vmatrix}=4i-52j+36k$

3) $(i\times j)\times k+i\times(j\times i)=?$

$i\times j=k,\ \ j\times i=-k,\ \ k\times k=\vec{0},\ \ i\times -k=j$

Ans. j

4) 영벡터가 아닌 3차원 벡터 $\vec{a},\vec{b},\vec{c}$에 대하여 명제의 참,거짓을 판단해라.

1. $\vec{a}\cdot\vec{b}=\vec{a}\cdot\vec{c}$이면 $\vec{b}=\vec{c}$이다. [ ]
2. $\vec{a}\times\vec{b}=\vec{a}\times\vec{c}$ 이면 $\vec{b}=\vec{c}$이다.[ ]

18인하

5) 공간 상의 두 벡터 $|\vec{a}|=1, |\vec{b}|=2, \vec{a}\cdot\vec{b}=1$을 만족한다. $|\vec{a}\times(\vec{a}\times\vec{b})|$의 값은?

① $\frac{\sqrt{3}}{3}$ ② $\frac{\sqrt{3}}{2}$ ③ $\sqrt{3}$ ④ $\frac{3\sqrt{3}}{2}$ ⑤ $2\sqrt{3}$

Ans. ③

6) 영벡터가 아닌, $\vec{a},\vec{b}$에 대해 외적 $a\times b$에 대한 설명 중 틀린 것은?

① $a\times b=-(b\times a)$
② 두 벡터 a와 b가 평행하기 위한 필요충분조건은 $a\times b$가 영벡터이다.
③ $a\times b$의 크기는 $(a\cdot a)(b\cdot b)-(a\cdot b)^2$이다. 여기서 $a\cdot b$는 a와 b의 내적을 나타낸다.
④ $a\times b$는 a와 b에 수직이다.

Ans. ③

14이대
7) 다음 명제 중 옳은 것을 모두 고르시오.

ㄱ. 3차원 공간에 존재하는 두 개의 벡터 $\vec{a},\vec{b}$ 에 대하여 $\vec{a}\cdot(\vec{a}\times\vec{b})=0$ 이 성립한다.
ㄴ. 3차원 공간에 존재하는 두 개의 벡터 $\vec{a},\vec{b}$ 에 대하여 $\vec{a}\times\vec{b}=\vec{b}\times\vec{a}$ 이 성립한다.
ㄷ. 3차원 공간에 존재하는 두 개의 벡터 $\vec{a},\vec{b}$ 에 대하여 $\vec{a}\cdot\vec{b}=0$ 라고 가정하자, 이때 $\vec{a}=0$ 또는 $\vec{b}=0$ 이다.
ㄹ. 벡터 방정식 $\vec{r}(t)=t^2\vec{i}+4t^2\vec{j}+3t^2\vec{k}$ 은 직선을 나타낸다. (단, t는 실수)

① ㄴ,ㄹ ② ㄱ,ㄷ ③ ㄴ,ㄷ ④ ㄱ,ㄹ ⑤ ㄷ,ㄹ

Ans. ④

19명지
8) 영벡터가 아닌 3차원 벡터 $\vec{a},\vec{b},\vec{c}$에 대하여 다음 중 옳은 것은?

① $\vec{a}\cdot\vec{b}=\vec{a}\cdot\vec{c}$이면 $\vec{b}=\vec{c}$이다. ② $\vec{a}\times\vec{b}=\vec{a}\times\vec{c}$이면 $\vec{b}=\vec{c}$이다.
③ $\vec{a}\times(\vec{b}\times\vec{c})=(\vec{a}\times\vec{b})\times\vec{c}$이다. ④ $|\vec{a}|=|\vec{b}|$이면 $\vec{a}=\vec{b}$ 또는 $\vec{a}=-\vec{b}$
⑤ $\vec{a}+\vec{b}$와 $\vec{a}-\vec{b}$가 직교하면 $|\vec{a}|=|\vec{b}|$이다.

Ans. ⑤

18이대
9) 다음 명제 중 옳은 것을 모두 고르시오.

a. 공간벡터 $A=(a_1,a_2,a_3)$, $B=(b_1,b_2,b_3)$, $C=(c_1,c_2,c_3)$에 대하여 $(A-B)\times(A-C)=0$ 일 필요충분조건은 A,B,C가 한 직선위에 존재하는 것이다.

b. 함수 $f(x)$가 $x=0$에서 연속이면 함수 $xf(x)$는 $x=0$에서 미분 가능하다.

c. 함수 $f(x)$와 $g(x)$가 두 번 미분가능하고 볼록이면 합성함수 $(f\circ g)(x)$도 볼록이다.

d. 함수 $f(x)$가 연속함수이면 $f(a)=\int_0^1 f(t)dt$를 만족하는점 $a\in[0,1]$가 존재한다.

① a, b, c ② a, b, d ③ a, d ④ b, c ⑤ b, d
Ans. ②

10) 실수 a,b가 $0\le a<b\le 1$을 만족할 때, $\frac{1}{b-a}\int_a^b \frac{1}{1+x^3}dx$의 값이 될 수 있는 것은?
① $\frac{1}{3}$ ② $\frac{2}{3}$ ③ $\frac{4}{3}$ ④ $\frac{8}{3}$
Ans. ②

15항공

11) 삼차원공간 R^3에서 벡터 $\vec{a}, \vec{b}, \vec{c}, \vec{d}$의 관계식 중 참인 것을 모두 고르면?

a. $(\vec{a}+\vec{b})\times(\vec{a}-\vec{b})=2\vec{a}\times\vec{b}$
b. $\vec{a}\cdot(\vec{b}\times\vec{c})=(\vec{a}\times\vec{b})\cdot\vec{c}$
c. $\vec{a}\times(\vec{b}\times\vec{c})+\vec{b}\times(\vec{c}\times\vec{a})+\vec{c}\times(\vec{a}\times\vec{b})=0$
d. $(\vec{a}\times\vec{b})\cdot(\vec{c}\times\vec{d})=(\vec{a}\cdot\vec{c})(\vec{b}\cdot\vec{d})+(\vec{a}\cdot\vec{d})(\vec{b}\cdot\vec{c})$

① a, b ② b, c ③ b, d ④ b, c, d

Ans. ②

12) 공간상의 네점 $A(1,0,1)$, $B(3,1,4)$, $C(0,2,9)$, $D(x,y,z)$라 할때,
$ABCD$가 평행사변형이 되도록 x,y,z를 구하고 평행사변형의 면적을 구하시오.

Ans. $x=-2,\ y=1,\ z=6,\ s=\sqrt{390}$

13) 공간상의 세 점 $P(1,2,-2)$, $Q(3,1-1)$, $R(4,-1,3)$을 꼭지점으로 하는 삼각형의 면적은?
$Ans.\ \frac{\sqrt{62}}{2}$

14) $(2,1), (-3,2), (4,3)$세 점을 꼭지점으로 하는 삼각형의 넓이는?
$Ans. 6$

15) $(\vec{a}-2\vec{b})\times(2\vec{a}+\vec{b})$를 간단히 하면은?
$Ans. 5\vec{a}\times\vec{b}$

16) 공간상의 세 점$(2,2,0),(-1,0,2),(0,4,3)$을 꼭짓점으로 하는 삼각형의 면적을 구하라.
$Ans.\ 15/2$

17) 두 벡터$(1,2,3),(-1,0,1)$을 이웃으로 하는 평행사변형의 면적

$$\begin{vmatrix} i & j & k \\ 1 & 2 & 3 \\ -1 & 0 & 1 \end{vmatrix} = |2i-4j+2k| \quad , \sqrt{4+16+4} = \sqrt{24}$$

외적을 사용할 수 없을 때는

$i)$ 2차원 평면 : 3차원으로 이동시켜서 외적사용

$ii)$ 4차원 이상 : 외적사용 불가 $\Rightarrow$ 4차원 이상의 개념에서 외적을 이용한
평행사변형의 면적 계산 $= \sqrt{|AA^t|}$

18) R^4상의 두 벡터 $(1,0,1,2),(0,1,-1,1)$을 이웃하는 평행사변형의 면적은?
$Ans.\ \sqrt{17}$

19) R^5상의 두 벡터 $(1,0,1,2,-1)$과 $(0,1,-1,1,3)$에 의해 결정되는 평행사변형의 면적을 구하시오

$Ans.\ 4\sqrt{5}$

15이대

20) 아래 그림처럼 정육각형 3개가 서로 연결되어 있다. 이때 세 개의 정육각형 면적의 합을 벡터 $\vec{a},\vec{b}$로 나타내시오.

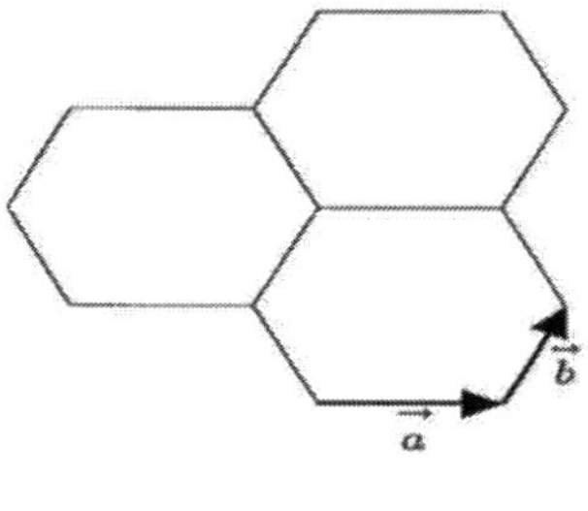

① $12|\vec{a}\times\vec{b}|$ ② $9|\vec{a}\cdot\vec{b}|$ ③ $6|\vec{a}\cdot\vec{b}|$ ④ $12|\vec{a}\cdot\vec{b}|$ ⑤ $9|\vec{a}\times\vec{b}|$

$Ans.$ ⑤

17한양

21) 세 직선 $\frac{x}{3}=\frac{y}{4}=\frac{z}{5}$, $\frac{x}{2}=\frac{y}{1}=\frac{z}{-2}$ 와 $\frac{x}{1}=\frac{y+5}{3}=\frac{z+16}{7}$ 으로 둘러싸인 삼각형의 넓이는?

① $\frac{15}{4}\sqrt{2}$ ② $\frac{15}{2}\sqrt{2}$ ③ 15 ④ $15\sqrt{2}$

Ans. ②

***점과 공간직선 사이의 거리**

점 P에서 방향벡터가 $\vec{d}$이고 점 Q를 지나는 직선 사이의 거리는 $\frac{|\overrightarrow{PQ}\times\vec{d}|}{|\vec{d}|}$이다.

16아주

22) 원점에서 직선 $x=1+t, y=2-t, z=-1+2t$ 까지의 거리는?

① $\frac{1}{\sqrt{2}}$ ② $\frac{3}{\sqrt{2}}$ ③ $\frac{5}{\sqrt{2}}$ ④ $\frac{7}{\sqrt{2}}$ ⑤ $\frac{9}{\sqrt{2}}$

Ans. ②

<스칼라 3중적>

$\vec{a}=(a_1,a_2,a_3)$, $\vec{b}=(b_1,b_2,b_3)$, $\vec{c}=(c_1,c_2,c_3)$ 세 벡터에서

$\vec{a}\cdot\vec{b}\times\vec{c}=\vec{a}\cdot(\vec{b}\times\vec{c})\neq(\vec{a}\cdot\vec{b})\times\vec{c}$

$=\begin{vmatrix} i & j & k \\ b_1 & b_2 & b_3 \\ c_1 & c_2 & c_3 \end{vmatrix}\cdot(a_1,a_2,a_3)=\begin{vmatrix} a_1 & a_2 & a_3 \\ b_1 & b_2 & b_3 \\ c_1 & c_2 & c_3 \end{vmatrix}=\vec{a}\cdot\vec{b}\times\vec{c}$ ⇒스칼라 3중적(동일시점)

($\vec{a},\vec{b},\vec{c}$를 이웃으로 하는 평행육면체의 부피)

1) 두 벡터 $\vec{a},\vec{b}$에 대해 $\vec{a}\cdot\vec{a}\times\vec{b}=\vec{b}\cdot\vec{a}\times\vec{b}$ (o)

$\begin{vmatrix} a_1 & a_2 & a_3 \\ a_1 & a_2 & a_3 \\ b_1 & b_2 & b_3 \end{vmatrix}=\begin{vmatrix} b_1 & b_2 & b_3 \\ a_1 & a_2 & a_3 \\ b_1 & b_2 & b_3 \end{vmatrix}=0$

2) 네 점 $O(0,0,0), A(1,0,0), B(-2,2,1), C(2,1,2)$가 있을 때 세 벡터 $\overrightarrow{OA}, \overrightarrow{OB}, \overrightarrow{OC}$에 의해서 만들어지는 평행육면체의 부피는?

Ans. 3

3) 세 벡터 $\vec{a}=(2,-3,4), \vec{b}=(1,2,-3), \vec{c}=(-2,4,6)$을 인접한 세 모서리로 하는 평행육면체 부피는?
Ans.80

4) 세 벡터 $\vec{a}=i+2k$, $\vec{b}=4i+6j+2k$, $\vec{c}=3i+3j-6k$를 이웃으로 하는 사면체 부피는?
Ans.9

5) 네 점 $A(1,1,1)$, $B(3,2,1)$, $C(-2,0,2)$, $D(-2,3,2)$를 꼭지점으로 하는 사면체 부피는?
$Ans.1$

6) 점 $A(1,2,3)$을 꼭지점으로 하고 네 점 $B(0,0,0)$ $C(1,-1,0)$, $D(3,-1,-2)$
$E(2,0,-2)$로 결정되는 사각형을 밑면으로 하는 사각뿔 $ABCDE$의 부피는?

$Ans.4$

서강
7) 세 벡터 $(0,1,1),(-1,1,2),(x,y,1)$로 이루어진 평행육면체의 부피의 최댓값은?
(단, 벡터 $(x,y,1)$의 길이는 $\sqrt{2}$이다.)

$Ans.$ $\sqrt{2}+1$

16단국

8) 음의 정수 s,t에 대하여 위치벡터

$a=< s,4,-7 >, b=< 2,t,4 >, c=< 0,-9,18 >$이 같은 평면위에 있을 때, $s+t$의 값은?

① -6 ② -5 ③ -4 ④ -3

Ans. ③

21건대

9) 각 모서리의 길이가 1인 정사면체 $ABCD$ 에 대하여 $(\overrightarrow{AB}\times\overrightarrow{BC})\cdot(\overrightarrow{AC}\times\overrightarrow{CD})$ 의 절댓값은?

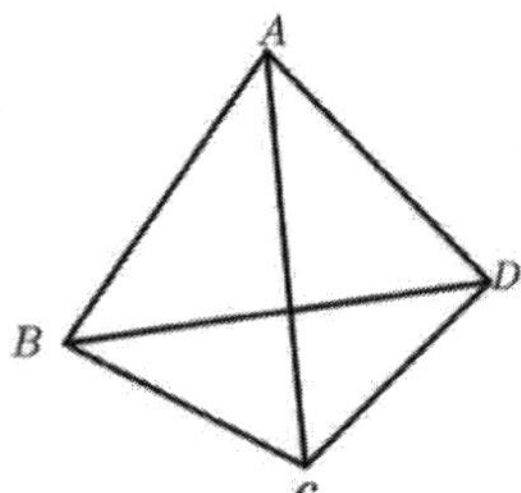

① 0 ② $\frac{1}{2}$ ③ $\frac{1}{3}$ ④ $\frac{1}{4}$ ⑤ $\frac{1}{5}$

*Ans.*④

20건대

10)각 모서리의 길이가 1인 정사면체 $ABCD$가 있다. $(\overrightarrow{AB}+\overrightarrow{AC}+\overrightarrow{AD})\times\overrightarrow{BC}$의 크기는?

① $\sqrt{3}$ ② $\sqrt{6}$ ③ $2\sqrt{3}$ ④ 3 ⑤ $3\sqrt{2}$

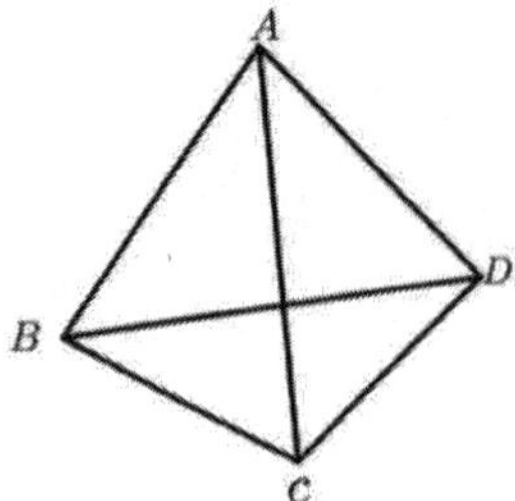

$Ans.$ ②

20건대

11)다음 그림과 같이 한변의 길이가 1인 정육면체 $ABCDEFGH$가 있다. 변 EF위 점 X에 대하여 점 B에서 평면 ACX까지의 거리가 $\frac{4}{\sqrt{33}}$일 때, 선분 EX의 길이는?

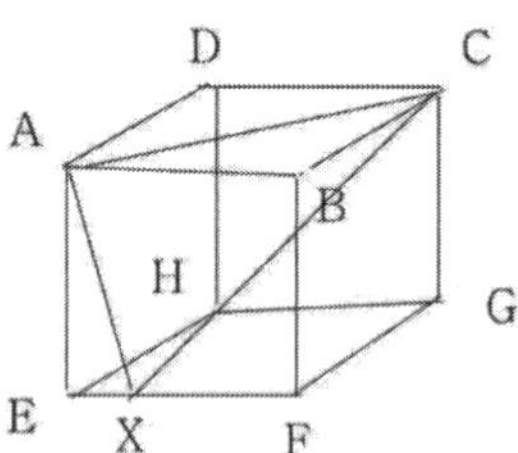

① $\frac{1}{3}$ ② $\frac{1}{4}$ ③ $\frac{1}{5}$ ④ $\frac{1}{6}$ ⑤ $\frac{1}{7}$

$Ans.$ ②

직선과 직선사이의 거리

i) 평행한 두 직선
한 직선의 점과 다른 직선과의 거리

ii) 꼬인 위치의 두 직선(평행하지도 만나지도 않는두 직선)
방향벡터가 $\overrightarrow{d_1}$이고 점 P를 지나는 직선 l_1과 방향벡터가 $\overrightarrow{d_2}$이고 점 Q를 지나는 직선 l_2가 꼬인 위치에 있을 때, 두 직선 사이의 거리는 $\dfrac{|\overrightarrow{PQ}\cdot(d_1\times d_2)|}{|d_1\times d_2|}$ = 평행육면체의 높이

16중대

9) 직선 $\dfrac{x-1}{1}=-\dfrac{y}{2}=\dfrac{z}{2}$와 직선 $\dfrac{x-2}{2}=\dfrac{y-4}{3}=-\dfrac{z+3}{1}$ 사이의 거리는?

$Ans.\ \sqrt{10}/6$

평면과 평면 사이의 거리

평면1 : $ax+by+cz+d_1=0$

평면2 : $ax+by+cz+d_2=0$

$$d=\frac{|d_1-d_2|}{\sqrt{a^2+b^2+c^2}}$$

10) 다음 두 평면사이의 거리는 ?

$5x-2y+z-1=0,\ 10x-4y+2z+8=0$

$Ans.\ \sqrt{30}/6$

두 평면의 교선을 지나는 새로운 평면

$$ax+by+cz+d+k(a_1x+b_1y+c_1z+d_1)=0$$

11) 두 평면 $x-y-2z=2$와 $2x-y+z=1$의 교선을 지나고, 점 $P(-1,2,1)$을 지나는 평면의 방정식은?

① $3x+5y-z=6$ ② $10x+3y-z=-5$
③ $-3x+5y+z=14$ ④ $10x-3y+15z=-1$
Ans. ④

(1) 2개의 벡터가 주어졌을 경우

$\vec{p}=r\vec{a}+s\vec{b}$일 때 $\vec{p}$가 그리는 자취 (단, $r,s \geq 0$)

i) $r+s=k$일 때
$\vec{a},\vec{b}$에 각각 k배하여 얻은 선분

ii) $0 \leq r+s \leq k$ 일 때
$\vec{a},\vec{b}$에 각각 k배하여 얻은 삼각형 내부

iii) $0 \leq r,s \leq k$일 때
$\vec{a},\vec{b}$에 각각 k배하여 얻은 평행사변형의 내부

(2) 3개의 벡터가 주어진 경우

$\vec{p}=r\vec{a}+s\vec{b}+t\vec{c}$일 때 $\vec{p}$가 그리는 자취는? (단, $r,s,t \geq 0$)

i) $r+s+t=k$일 때
$\vec{a},\vec{b},\vec{c}$에 각각 k배 하여 얻은 삼각형

ii) $0 \leq r+s+t \leq k$일 때
$\vec{a},\vec{b},\vec{c}$에 각각 k배하여 얻은 사면체의 내부

iii) $0 \leq r,s,t \leq k$일 때 $\vec{a},\vec{b},\vec{c}$에 각각 k배하여 얻은 평행육면체의 내부

08인하

12)삼차원 공간의 세 점 $P(1,0,0)$, $Q(-1,2,0)$, $R(0,0,1)$에 대해
평면도형 $\{s\overrightarrow{PQ}+t\overrightarrow{PR} \mid 0 \le s,t \le 1\}$의 넓이는?
$Ans.\,2\sqrt{3}$

13) $\vec{a}=<2,-1,6>$, $\vec{b}=<-3,5,1>$, $\vec{c}=<0,1,2>$ 에 대하여
$V=\{r\vec{a}+s\vec{b}+t\vec{c} \mid 0 \le r+s+t \le 2\}$일 때, V의 체적은?
$Ans.\,8$

08중앙,한양

14)벡터 $\vec{u}=(5,1,2)$, $\vec{v}=(-3,0,-1)$, $\vec{w}=(2,2,3)$에 대하여
$V=\left\{\vec{x}=t_1\vec{u}+t_2\vec{v}+t_3\vec{w} \mid 0 \le t_1,t_2,t_3 \le 2\right\}$라 할 때, V의 체적을 계산하면?
$Ans.\,40$

20이대
15) 3차원 공간 상에서 집합

$$\left\{ \begin{matrix} (1,-1,7)+r(2,1,3)+s(1,5,2)+t(-1,1,3) \\ 1 \le r \le 2, 2 \le s \le 4, 0 \le t \le a \end{matrix} \right\}$$ 이 나타내는 영역의 부피가 39가 되게 하는

양수 a값을 구하시오.

① $\frac{1}{2}$　② 1　③ $\frac{3}{2}$　④ 2　⑤ $\frac{5}{2}$

Ans. ①

17서강
16) 평면 $r = i - 3j + k + \lambda(-i - 3j + 2k) + \mu(2i + j - 3k)$
(λ, μ는 임의의 실수) 와 직선 $r = 3i - k + t(i - j - k)$($t$는 임의의 실수) 가 이루는 각을 θ 라 할 때, $\cos\theta$ 의 값은?

① $\frac{\sqrt{14}}{15}$　② $\frac{\sqrt{211}}{15}$　③ $\frac{1}{15}$　④ $\frac{4\sqrt{14}}{15}$　⑤ $\frac{\sqrt{13}}{15}$

Ans. ④

18건국

17) 좌표평면 위에 직선 $l_1 : x-y=0$과 $l_2 : x+y=0$ 이 있다. 직선 l_1까지 거리와 직선 l_2까지 거리의 합이 4인 점들이 그리는 곡선의 길이는?

① $8\sqrt{2}$ ② $8\sqrt{3}$ ③ 16 ④ $16\sqrt{2}$ ⑤ 32

Ans. ④

19중앙(수)

18)두 평면 $x+y+z=3$, $x-5y+z=3$에 접하고 중심이 $x=\frac{y}{2}=\frac{z}{3}$에 놓인 구의 반지름이 r에 대하여 $\left(r-\frac{3\sqrt{3}}{4}\right)^2$의 값은?

① 3/16 ② 5/16 ③ 7/16 ④ 9/16

Ans. ①

19한양

19) 공간벡터

u,v,w가 이루는 평행육면체의 부피가 3이고

$u \cdot v = v \cdot w = w \cdot u = 0$일 때, 세 벡터 $u \times 2v, 2v \times 3w, 3w \times u$가 이루는 평행육면체의 부피는? (단, $a \cdot b$는 벡터 a와 b의 내적이고, $a \times b$는 a와 b의 외적이다.)

① 108　② 144　③ 216　④ 324　⑤ 648

Ans. ④

17성대

20) 닫힌구간 [−1,1]에서 연속인 모든 함수들로 구성된 내적 공간 C[−1,1]에서 내적을 $< f, g >= \int_{-1}^{1} f(x)g(x)dx$ 로 정의하자. C[−1,1]의 세 벡터 1, $x+\alpha$, $x^2+\beta x+\gamma$ 가 서로 직교할 때, $\alpha+\beta+\gamma$ 의 값은?

① 0　② $-\frac{1}{2}$　③ $-\frac{1}{3}$　④ $-\frac{1}{4}$　⑤ $-\frac{1}{5}$

Ans. ③

<벡터공간의 "생성"과 "일차 독립,종속">

벡터공간(*vector space*) : 집합 V가 다음의 공리를 모두 만족하면 벡터공간이라 한다.
(집합 V안의 임의의 원소를 u,v,w라 하고, α,β를 임의의 스칼라라고 한다.)

공리

(1) $u+v=v+u$ (벡터덧셈에 대한 교환법칙)

(2) $(u+v)+w=u+(v+w)$ (벡터 덧셈에 대한 결합법칙)

(3) $u+0=0+u=u$ (벡터 덧셈에 대한 항등원)

(4) $u+(-u)=0$ (벡터덧셈에 대한역원)

(5) $\alpha(u+v)=\alpha u+\alpha v$ (스칼라곱셈에 대한 분배법칙)

(6) $(\alpha+\beta)u=\alpha u+\beta u$

(7) $\alpha(\beta u)=(\alpha\beta)u$

(8) $1u=u$

(9) $u+v\in V$

(10) $u+0=u$를 만족하는 $0\in V$가 존재한다.

(11) $\alpha u\in V$

*부분공간 : 벡터공간 V의 부분집합 W가 V상에서 정의된 덧셈과 스칼라곱에 대하여 벡터공간을 이룰 때, W를 V의 부분공간이라 한다. 이때 R^n의 모든 부분공간은 영벡터를 포함해야 한다.
(*Ex*. 벡터공간 R^2는 벡터공간 R^3의 부분집합이다.)

W가 V의 부분공간이 될 필요충분조건

① V의 영벡터는 W의 원소가 되어야 한다.

② $u,v\in V$이면, $u+v\in V$이다.

③ $u\in V$이고 임의의 실수 t이면 $tu\in V$이다.

*벡터공간 V에서 V자신과 0은 V의 부분공간이다. 이러한 부분공간을 V의 자명한 부분공간이라 하며, 특히0을 영공간(*zero space*)이라 한다.

Ex)

① 영부분공간 {0} (여기서 0은 벡터공간 V의 영벡터이다.)

② R^2의 부분공간들
i) 영부분공간{(0,0)}
ii) 원점을 지나는 임의의 직선
iii) R^2

③ R^3의 부분공간들
i) 영부분공간{(0,0,0)}
ii) 원점을 지나는 임의의 직선
iii)원점을 지나는 임의의 평면
iv) R^3

Ex)
$V=\{(a,b)|\, a,b\in R\}$ ⇒벡터공간

$V=\{(a,1)|a\in R\}$ ⇒집합

$V=\{a+bx+cx^2|a,b,c\in R\}$⇒벡터공간
벡터공간 V의 부분집합 $v_1,v_2,v_3\cdots v_n$에 대하여 $<v_1,v_2,v_3\cdots v_n>$
$=\{x_1v_1+x_2v_2+x_3v_3\cdots+x_nv_n\}$

*일차결합 = 선형결합(*linear combination*): 벡터공간 V안의 n개의 벡터 $v_1,v_2,\cdots,v_n$과 n개의 스칼라 $t_1,t_2,\cdots,t_n$에 대하여 $t_1v_1+t_2v_2+\cdots+t_nv_n$을 벡터 $v_1,v_2,\cdots,v_n$의 일차결합이라 한다.

*생성(*span*): 벡터공간 V의 모든 원소들을 벡터집합 S에 있는 원소들에 의해서 1차결합으로표현된다면 벡터집합 S는 V를 생성한다. 혹은 V는 S에 의해서 생성된다.

$$span\{v_1,v_2,\cdots,v_n\}=\{t_1v_1+t_2v_2+\cdots+t_nv_n\}$$

($span\{v_1,v_2,\cdots,v_n\}$은 벡터공간 V의 부분공간이다.)

*일차독립: 벡터공간 V의 부분집합 $v_1,v_2,\cdots,v_n$ 에 대하여 $t_1v_1+t_2v_2+\cdots+t_nv_n=0$은 적어도 하나의 해, 즉 $t_1=0,t_2=0,\cdots t_n=0$(자명한 해)를 갖는다.
만일 이것이 유일한 해라면 V를 1차독립이라 한다.

*일차종속 : $t_1,t_2,\cdots t_n$중에 적어도 1개이상 0이 아닌것이존재할때,
$v_1,v_2,\cdots,v_n$은 일차종속

1) 벡터 $v \in R^2$, $v = (5,6)$은 $\{(1,0),(1,3)\}$의 일차결합.

2) 다항식 $P(x) \in P_2(x)$, $P(x) = 2 + 5x - 2x^2$은 $\{1, x, x^2\}$의 일차결합.

3) 행렬 $A \in M_{2\times 2}$, $A = \begin{pmatrix} 5 & 2 \\ 3 & 1 \end{pmatrix}$은 $\left\{ \begin{pmatrix} 1 & 0 \\ 0 & 0 \end{pmatrix}, \begin{pmatrix} 0 & 1 \\ 0 & 0 \end{pmatrix}, \begin{pmatrix} 0 & 0 \\ 1 & 0 \end{pmatrix}, \begin{pmatrix} 0 & 0 \\ 0 & 1 \end{pmatrix} \right\}$의 일차결합.

4) $v = \{(1,4),\ (1,0)\}$은 독립인가 종속인가?

5) $v = \{(1,1),(2,2)\}$은 독립 인가 종속인가?

6) 벡터 $\{(3,2,3),(0,2,4),(5,3,1)\}$의 일차독립, 일차종속 여부

7) 벡터공간 $V=\{a+bx+cx^2 | a,b,c\in R\}$에서 일차 종속인 것은?

① $\{1,x\}$ ② $\{1,x,2x\}$ ③ $\{1,x,x^2\}$ ④ $\{1\}$

Ans. ②

8) 다음 중 일차독립이 아닌 것은?

① x,x^2 ② e^{-x},e^x ③ $\cos x, \cos x^2$ ④ $\ln x, \ln x^2$

Ans. ④

19에리카

9) 다음 집합 중 1차독립인 것은?

① $\{1, x^2+1, 2x^2-1\}$ ② $\{x+1, x^2-1, (x+1)^2\}$

③ $\{x^2-1, (x+1)^2, (x-1)^2\}$ ④ $\{x(x+1), x^2-1, (x+1)^2\}$

Ans. ③

*기저 : 벡터공간 V의 부분집합 $\{v_1, v_2, v_3, \cdots, v_n\}$이 V의 기저($basis$)라 함은 다음을 만족한다.

$i)$ $\{v_1, v_2, v_3, \cdots, v_n\}$은 V를 생성($span$)한다.
$ii)$ $\{v_1, v_2, v_3, \cdots, v_n\}$은 1차(선형)독립

*좌표벡터 : 벡터공간 V의 기저 $A = \{v_1, v_2, v_3, \cdots, v_n\}$가 임의의 $v \in V$에 대하여 $v = c_1v_1 + c_2v_2 + \cdots + c_nv_n$을 만족할 때, $c_1, c_2, \cdots, c_n$을 v의 좌표벡터라 한다.

*벡터공간들의 표준기저
① $V = \{(a, b, c) \mid a, b, c \in R\}$

② $V = \{a + bx + cx^2 \mid a, b, c \in R\}$

③ $V = \left\{ \begin{pmatrix} a & b \\ c & d \end{pmatrix} \middle| a, b, c, d \in R \right\}$

1) $v_1 = (1,1)$, $v_2 = (-1,2)$를 V의 기저로 잡을 때 $v = (1,0)$의 좌표벡터를 구하라.

2) R^2에서 벡터 $\overrightarrow{v} = (3,2)$를 기본기저 $\overrightarrow{e_1} = (1,0)$, $\overrightarrow{e_2} = (0,1)$로 표현하면 $3\overrightarrow{e_1} + 2\overrightarrow{e_2}$이다. 새로운 기저 $\overrightarrow{b_1} = (2,1)$, $\overrightarrow{b_2} = (1,-1)$을 이용하여 $\overrightarrow{v} = c_1\overrightarrow{b_1} + c_2\overrightarrow{b_2}$로 표현할 때, (c_1, c_2)를 구하라.

① $(-5,1)$ ② $\left(\frac{5}{3}, \frac{-1}{3}\right)$ ③ $(5,-1)$ ④ $\left(\frac{5}{3}, \frac{1}{3}\right)$

Ans. ②

3) R^3의 순서기저 $S = \{(1,0,2), (-1,3,1), (1,1,1)\}$에 대한 벡터 $v = (0,1,2)$의 좌표행렬 $[v]_s$를 구하면?

① $\begin{pmatrix} 1 \\ 1 \\ 0 \end{pmatrix}$ ② $\begin{pmatrix} 1 \\ \frac{1}{2} \\ \frac{-1}{2} \end{pmatrix}$ ③ $\begin{pmatrix} 0 \\ \frac{1}{2} \\ \frac{1}{2} \end{pmatrix}$ ④ $\begin{pmatrix} 0 \\ 1 \\ 2 \end{pmatrix}$

Ans. ②

4) R^3상의 세 벡터 $v_1 = (1,1,2), v_2 = (1,0,1), v_3 = (2,1,3)$에 대하여 다음 중 옳은것은?
(a) 두 벡터 v_1과 v_2는 일차독립이다.
(b) 두 벡터 v_2과 v_3는 일차독립이다.
(c) 세 벡터 v_1, v_2, v_3는 일차독립이다.
(d) 세 벡터 v_1, v_2, v_3는 R^3를 생성한다.
$Ans.$ $(a),(b)$

*차원 : 일차독립이 되는 최대원소개수

$\Rightarrow V$의 기저의 원소개수 $=$ V의 차원 $= \dim V$

① 영벡터공간 $\{0\}$의 차원은 0으로 정의한다.

② $\dim(R^n) = n,\ \dim(M_{m\times n}) = mn,\ \dim(P_n) = n+1$

③ 벡터의 개수가 벡터의 성분 개수보다 많은 경우 벡터들은 1차 종속

④ $\dim(V_1 + V_2) = \dim(V_1) + \dim(V_2) - \dim(V_1 \cap V_2)$

*표준기저 : 각 축방향의 단위벡터들의 집합을 표준기저라 한다.
$Ex)$ R^2의 표준기저 : $(1,0),(0,1)$, R^3의 표준기저 : $(1,0,0),(0,1,0),(0,0,1)$

1) $V=\{(a,b,c,d)|a+b+c+d=0\}$의 차원?

$Ans.$ $\dim V=3$

2) $V=\{a+bx+cx^2|a,b,c\in R\}$ 의 차원?

$Ans.$ $\dim V=3$

3) $V=\left\{\begin{pmatrix} a & b \\ c & d \end{pmatrix} \middle| a,b,c,d\in R\right\}$의 차원?

4) $V=\{(a,b,c)|a=b\}$의 차원은?

$Ans.$ $\dim V=2$

5) $V=\{(a,b,c,d)|a=b,c=-d\}$의 차원은?

$Ans.$ $\dim V=2$

6) $V=\{a\sin t+b\cos t | a,b\in R\}$ 의 차원은?

$\dim V=2$

7) $w_1=\left\{\begin{pmatrix} a & b \\ c & d \end{pmatrix} \middle| a=-b\right\}$의 $\dim=?$

8) $w_1=\left\{\begin{pmatrix} a & b \\ c & d \end{pmatrix} \middle| a=-b\right\}$

$w_2=\left\{\begin{pmatrix} a & b \\ c & d \end{pmatrix} \middle| a=-c\right\}$ 일 때, $w_1\cap w_2$의 차원은?

9) $B=\begin{pmatrix} 1 & -1 \\ -2 & 2 \end{pmatrix}$, $V=\{A\in M_2 | AB=0\}$의 $\dim V=?$

$Ans.\ \dim V=2$

10) M_4에서 $V=\left\{A\in M_4|A^t=A\right\}$의 차원은?

$Ans.\ \dfrac{n(n+1)}{2}$

11) $V=\left\{A\in M_4|A^t=-A\right\}$의 차원
$Ans.\ \dfrac{n(n-1)}{2}$

12) 다음 중 옳은 것은?
① $\dim V=n$이면 $n+1$개의 벡터는 1차독립이다.
② $\dim V=n$이고 V의 기저의 원소가 m개 일때 $n<m$이다.
③ $S=\{(1,1,0),(0,1,1),(1,0,-1)\}$은 R^3의 기저이다.
④ 없다.

$Ans.$④

13) 다음 중 벡터공간 R^3의 기저인 것을 고르시오.
①$\{(2,-3,1),(4,1,1),(0,-7,1)\}$
②$\{(1,6,4),(2,4,-1),(-1,2,5)\}$
③$\{(3,1,-4),(2,5,6),(1,4,8)\}$
④$\{(1,0,0),(1,0,0),(0,1,0)\}$

*Ans.*③

11중대
14) 벡터$v_1=(1,-1,1,1), v_2=(2,-2,2,2), v_3=(0,1,-3-2), v_4=(2,1,-7,-4), v_5=(1,0,2,3)$로 생성되는 R^4의 부분공간을 W라 하자. 다음 중 W의 기저가 될 수 없는 것은?
①$\{v_1,v_3,v_5\}$ ②$\{v_2,v_4,v_5\}$ ③$\{v_1,v_3,v_4\}$ ④$\{v_1,v_4,v_5\}$

Ans. ③

15) 공간 R^3의 모든 벡터가 주어진 세 벡터 $\vec{v_1}, \vec{v_2}, \vec{v_3}$의 일차결합으로 표현될 수 있도록 하는 a의 값을 고르면?

$\vec{v_1} = (1,2,a)$, $\vec{v_2} = (1,a,2)$, $\vec{v_3} = (a,1,2)$

①1 ② 2 ③ 3 ④ -3

*Ans.*③

*행공간 : $A_{m \times n}$행렬일때, A의 행벡터가 생성하는 R^n상의 부분공간을 행렬 A의 행공간(*row space*)이라 한다.

*열공간 : $A_{m \times n}$행렬일 때, A의 열벡터가 생성하는 R^m상의 부분공간 (*column space*)

*해공간(영공간) : $AX=0$을 만족하는 해로 된 공간(*null space*)

* 퇴화차수 = 무효차수($Nullity\, A, N(A)$)
행렬공간 A에 대하여 A의 퇴화차수 $W = \{x \in M_{n \times 1}(R) | Ax = O\}$의 차원이며 해공간의 차원과 정의가 같다.

*직교보(여)공간($W^{\perp}$)
W를 내적공간 V의 부분공간이라 하자. V의 벡터 v가 W의 모든 벡터와 수직할 때, 벡터 v는 W와 직교한다고 하고, W와 직교하는 V의 모든 벡터 집합을 W의 직교보공간(직교여공간) 이라 한다.

성질
①행렬 A의 행공간의 기저에 대한 직교보공간 $A^{\perp}$는 A의 해공간의 기저이다.
②행렬 A의 행공간에 대한 직교보공간 $A^{\perp}$의 차원은 A의 해공간의 차원이다.
③행렬 A의 열공간의 기저에 대한 직교보공간 $A^{\perp}$는 A^T의 해공간의 기저이다.
④행렬 A의 열공간에 대한 직교보공간 $A^{\perp}$의 차원은 A^T의 해공간의 차원이다.

**Rank* = 행공간의 차원 = 열공간의 차원 = 부분공간의 차원
*해공간의 차원 = 퇴화차수(*Nullity*) = 직교보공간의 차원 = 자유 독립변수의 개수

중앙

1) 다음 벡터 중 행렬 $A=\begin{pmatrix} 2 & 3 & 1 \\ -1 & -1 & 1 \\ 2 & 1 & -5 \end{pmatrix}$의 행공간에 속하지 않는 것은?

① $(1,0,-4)$ ② $(0,1,3)$ ③ $(2,1,-5)$ ④ $(1,0,0)$

Ans. ④

항공

2) 벡터 $(1,2,3),(0,2,2),(1,0,1)$에 의해 생성된 R^3의 부분공간에 없는 것은?

① $(1,4,5)$ ② $(2,6,8)$ ③ $(2,2,4)$ ④ $(1,3,2)$

Ans. ④

중앙

3) 벡터 $(1,-1,1,1)$, $(0,1,-3,-2),(2,1,-7,-4),(1,0,2,3)$에 의해 생성된 R^4의 부분공간에 없는 것은?

① $(0,1,1,2)$ ② $(1,1,1,0)$ ③ $(0,-1,1,0)$ ④ $(1,2,0,3)$

Ans. ②

한양
4) 세 개의 벡터 $v_1=(1,-1,-2)$, $v_2=(5,-4,-7)$, $v_3=(-3,1,0)$에 대하여
벡터 $u=(-4,3,k)$가 v_1,v_2,v_3에 의해 생성된 $\overrightarrow{R^3}$의 부분공간에 속하도록 하는 k값은?

① 2 ② 3 ③ 4 ④ 5

$Ans.$④

14에리카
5)다음 3×5 행렬 A의 열공간의 기저가 될 수 있는 것은?

$$A=\begin{pmatrix}1&0&0\\2&1&0\\1&3&1\end{pmatrix}\begin{pmatrix}0&1&2&3&1\\0&0&0&1&2\\0&0&0&0&0\end{pmatrix}$$

① $\left\{\begin{vmatrix}1\\0\\0\end{vmatrix},\begin{vmatrix}3\\1\\0\end{vmatrix}\right\}$ ② $\left\{\begin{vmatrix}3\\1\\0\end{vmatrix},\begin{vmatrix}1\\2\\0\end{vmatrix}\right\}$ ③ $\left\{\begin{vmatrix}1\\2\\1\end{vmatrix},\begin{vmatrix}3\\7\\6\end{vmatrix}\right\}$ ④ $\left\{\begin{vmatrix}1\\4\\7\end{vmatrix},\begin{vmatrix}2\\4\\1\end{vmatrix}\right\}$

$Ans.$③

6) 벡터 $\begin{pmatrix}0\\1\\0\end{pmatrix},\begin{pmatrix}0\\0\\1\end{pmatrix},\begin{pmatrix}1\\0\\-1\end{pmatrix}$은 선형독립인가 종속인가?

$Ans.$ 독립

7) 벡터 $(1,1,0)$, $(1,0,1)$,$(0,1,2)$, $(1,-3,2)$은 독립인가 종속인가?

$Ans.$ 종속

8) $(0,1,0)$, $(1,2,1)$, $(0,1,-1)$, $(0,0,1)$의 선형독립인 벡터의 최대 개수는?

$Ans.$ 3

9) 다음 $n\times n$ 가역행렬 A에 관한 명제중 참인 것을 모두 찾아라.

① 방정식 $AV=0$의 해는 $V=0$ 뿐이다.
② A의 모든 행들은 1차독립이다.
③ A의 열벡터들은 직교한다.

$Ans.$ ①,②

13세종
10) 벡터 $(x,1,1,1)$, $(1,x,1,1)$, $(1,1,x,1)$, $(1,1,1,x)$가 일차종속이 되는 x중 서로 다른 값을 모두 더하면?

Ans. -2

17중대
11) 일차독립인 네 개의 벡터 v_1, v_2, v_3, v_4에 대하여 다음의 <보기> 중 일차독립인 집합의 개수는?

<보기>

(ㄱ) $\{v_1+v_2,\ v_2+v_3,\ v_3+v_4\}$
(ㄴ) $\{v_1+v_2,\ v_2+v_3,\ v_3+v_4,\ v_4+v_1\}$
(ㄷ) $\{v_1+v_2-3v_3,\ v_1+3v_2-v_3,\ v_1+v_3\}$
(ㄹ) $\{v_1+v_2-2v_3,\ v_1-v_2-v_3,\ v_1+v_3\}$
(ㅁ) $\{v_1,\ v_1+v_2,\ v_1+v_2+v_3,\ v_1+v_2+v_3+v_4\}$

①1개 ②2개 ③3개 ④ 4개
Ans.④

19에리카

12) 벡터공간 R^4의 부분공간 S의 기저가 다음과 같을 때, $\left\{\begin{bmatrix}1\\0\\2\\1\end{bmatrix}, \begin{bmatrix}0\\1\\3\\-1\end{bmatrix}\right\}$ S의 직교여공간 $S^{\perp}$의 기저는?

① $\left\{\begin{bmatrix}-1\\1\\0\\1\end{bmatrix}\right\}$ ② $\left\{\begin{bmatrix}2\\3\\-1\\0\end{bmatrix}\right\}$ ③ $\left\{\begin{bmatrix}-3\\-2\\1\\1\end{bmatrix}, \begin{bmatrix}1\\4\\-1\\1\end{bmatrix}\right\}$ ④ $\left\{\begin{bmatrix}0\\5\\-1\\2\end{bmatrix}, \begin{bmatrix}4\\2\\-1\\-2\end{bmatrix}\right\}$

$Ans.$ ③

13) 행렬 $A = \begin{pmatrix}1 & 1 & 1 & 2\\-1 & 0 & 2 & -2\\1 & 1 & 0 & -1\end{pmatrix}$일 때, 벡터공간 $N(A) = \{x \in R^4 | Ax = 0\}$의 차원은?

$Ans.$ 1

한양

14) 3개의 벡터 $\{(1,0,-1,1),(0,0,-1,1),(2,-1,2,0)\}$과 수직인 0이 아닌 벡터 $\vec{v}=(v_1,v_2,v_3,v_4)$ 에 대한 설명 중 옳은 것은?

①v_1는 임의의 실수이다. ② $v_1+v_2+v_3+v_4=0$ ③$v_1^2-v_2^2+v_3^2-v_4^2=0$ ④ $v_3^2-v_4^2=0$

$Ans.$ ④

15) 벡터 $a_1=(1,1,0,0), a_2=(0,0,1,2), a_3=(-2,0,2,2), a_4=(0,-3,0,3)$가 생성하는 R^4의 부분공간에 직교하는 공간의 차원은?

$Ans.$ 1

16)벡터 $\vec{a}=(1,3,2)$, $\vec{b}=(x,1,0)$, $\vec{c}=(0,x,1)$ 이 일차(선형)종속이 될때 $x=?$

$Ans.\ x=1,\dfrac{1}{2}$

16한양

17) 벡터공간 R^3의 부분공간 $W=<(0,2,4),(1,1,2),(1,5,10)>$가 미지수 x,y,z에 관한 동차일차방정식의 해공간 $\{(x,y,z)|ax+by+2z=0\}$이 될 때 $a+b$의 값은?

① -4 ② -2 ③ 2 ④ 4

Ans. ①

18) $W=\left\{\begin{pmatrix}x_1\\x_2\\x_3\end{pmatrix}\in R^3 \middle| 3x_1+2x_3=0, 4x_2-x_3=0\right\}$에서 W의 차원은?

① 0 ② 1 ③ 2 ④ 3

Ans. ②

21경희

19) 5×3행렬 A의 영공간 (null space)이 가질 수 있는 가장 큰 차원을 a라하고, 6×10행렬 B의 영공간이 가질 수 있는 가장 큰 차원을 b라 할 때, $a+b$의 값은? (단, A와 B가 영행렬은 아니다.)

① 6 ② 7 ③ 9 ④ 11 ⑤ 12

Ans. ④

한양

20) $U=\{(a,b,c,d)\mid b+c+d=0\}$, $W=\{(a,b,c,d)\mid a+b=0, c=2d\}$일 때, $U\cap W$의 차원은?

21) 벡터공간 R^4의 두 부분공간 V와 W을

$V=\{(a,b,c,d)\in R^4 \mid b+c+d=0\}$
$W=\{(a,b,c,d)\in R^4 \mid a+b=0, c=2d\}$로 정의할 때, $\dim(V)+\dim(W)+\dim(V\cap W)$의 값은?

22) $M_{n\times n}(R)$의 원소 A에 대하여 $V=\{A\in M_{n\times n}(R)|A^T=A\}$, $W=\{A\in M_{n\times n}(R)|tr(A)=0\}$ $V\cap W$는 각각 $M_{n\times n}(R)$의 부분공간을 이룬다. 이들의 차원의 합 즉, $\dim V+\dim W+\dim(V\cap W)$를 n으로 표현하면?

① $2n^2+n-2$ ② $2n^2+n+2$ ③ $2n^2+2n-1$ ④ $2n^2+2n+1$

Ans. ①

23) 다음 중 R^3의 부분공간 $W=\{(x,y,z)\in R^3|x+2y+3z=0\}$의 기저가 될 수 없는 것은?

① $\{(-5,1,1),(-7,2,1)\}$ ② $\{(-5,1,1),(2,-1,0)\}$ ③ $\{(3,0,1),(2,-1,0)\}$ ④ $\{(1,1,-1),(-7,2,1)\}$

Ans. ③

18한양

24) 모든 3×3 행렬들로 이루어진 벡터공간 $M_3(R)$에 대하여,
$U=\{(a_{ij})\in M_3(R)\,|\,a_{11}+a_{22}+a_{33}=0\}$ 과 $W=\{(a_{ij}\in M_3(R)\,|\,a_{ij}=a_{ji}, 1\le i,j\le 3\}$ 은 $M_3(R)$ 의 부분공간이다. 두 부분공간의 차원의 합은?

① 11 ② 12 ③ 13 ④ 14

$Ans.$ ④

21한양

25) 모든 3×3행렬들로 이루어진 벡터공간 $M_3(R)$에 대하여

$\begin{cases} a_{1j}+a_{2j}+a_{3j}=0 \ (j=1,2,3) \\ a_{i1}+a_{i2}+a_{i3}=0 \ \ (i=1,2,3) \\ a_{11}+a_{22}+a_{33}=0 \\ a_{13}+a_{22}+a_{31}=0 \end{cases}$ 을 만족하는 모든 행렬 $(a_{ij})\in M_3(R)$의 집합을 U

$a_{ij}=-a_{ji}(1\le i,j\le 3)$을 만족하는 모든 행렬 $(a_{ij})\in M_3(R)$의 집합을 W라 하자.
부분 공간 $U+W=\{u+w|u\in U, w\in W\}$의 차원은?

① 3 ② 4 ③ 5 ④ 6 ⑤ 7

19세종

26) R 상에서 정의 된 벡터공간 R^4 의 두 부분공간
$V=span(\{(1,0,1,1),(1,1,0,1),(1,-1,0,1)\})$, $W=span(\{(1,-1,1,0),(1,0,1,0)\})$
과 두 벡터 $v_1=(3,2,1,3)\in V, w_1=(3,3,3,0)\in W$ 이 있다. 조건 $v_1+w_1=v_2+w_2$를 만족하는 $v_2\in V$와$w_2\in W$에 대하여 v_2와 w_2 의 내적의 최댓값을 구하면?

① $\frac{69}{4}$ ② $\frac{71}{4}$ ③ $\frac{73}{4}$ ④ $\frac{75}{4}$ ⑤ $\frac{77}{4}$

$Ans.$ ③

13중대

27) $U=\{(x,y,z,w)\in R^4 : y+z+w=0\}$일 때, U의 직교여공간($Orthogonal\ Complement$) $U^{\perp}$의 기저가 될 수 있는 것은?

① $(1,-2,1,1)$ ②$(0,1,1,1)$ ③ $(0,-1,1,1)$ ④$(1,1,-1,1)$

$Ans.$②

28) 행렬 $A=\begin{pmatrix} 1 & 2 & 1 & 5 \\ 2 & 4 & -3 & 0 \\ -3 & 1 & 2 & -1 \\ 1 & 2 & -1 & 1 \end{pmatrix}$의 열공간 $C(A)$의 차원?

$Ans.3$

29) $x_1+x_2+2x_3-x_4=0$의 $nullity=?$

$Ans.3$

30) $A=\begin{pmatrix}1&-1&3\\2&-3&1\end{pmatrix}$의 행공간에 수직인 공간의 차원은?

Ans.1

31) 행렬 A 의 퇴화차수(*nullity*)는?

$$A=\begin{pmatrix}1&2&0&-1&1\\1&3&1&1&-1\\2&5&1&0&-6\\3&6&0&0&-6\\1&5&3&5&-5\end{pmatrix}$$

Ans.1

32) 연립방정식 $\begin{cases}x+y+3z+w=0\\2x+y+5z+4w=0\end{cases}$ 을 동시에 만족시키는 해(x,y,z,w)들로 이루어진 집합의 차원(dim*ension*)은?

Ans.2

33) A는 2×4 행렬이다. 다음 중 A의 영공간의 차원이 될 수 없는 것은?

① 1 ② 2 ③ 3 ④ 4

$Ans.$ ①

34) $A=\begin{pmatrix} -1 & 2 & 0 & 4 & 5 & -3 \\ 3 & -7 & 2 & 0 & 1 & 4 \\ 2 & -5 & 2 & 4 & 6 & 1 \\ 4 & -9 & 2 & -4 & -4 & 7 \end{pmatrix}$에 대하여, 동차 선형 방정식 $AX=\overrightarrow{O}$의 해공간의 차원?

$Ans.$ 4

16항공

35) 행렬 $A=\begin{bmatrix} a_{11} & a_{12} & a_{13} \\ a_{21} & a_{22} & a_{23} \\ a_{31} & a_{32} & a_{33} \end{bmatrix}$의 역행렬 A^{-1}가 존재하기 위한 조건을 <보기>에서 모두 고르면? 행렬의 모든 성분은 실수이다.

<보기>

a. A의 행렬식 $\det(A)$이 0이 아니다.

b. $rank(A)=3$이다. 여기서 $rank(A)$는 A의 계수($rank$)를 의미한다.

c. $Null(A)=\{(0,0,0)\}$이다. 여기서 $Null(A)$은 A의 영공간 ($Null$ space)을 의미한다.

d. 세 벡터 $(a_{11},a_{12},a_{13}),(a_{21},a_{22},a_{23}),(a_{31},a_{32},a_{33})$는 일차독립이다.

① a ② a, b ③ a, b, c ④ a, b, c, d

Ans. ④

36) R^3에서 0벡터가 아닌 임의의 벡터 a,b,c가 주어질 때 다음 집합 중 항상 R^3의 부분공간이 되는 것은?

① a,b를 지나는 직선

② a,b,c를 지나는 평면

③ a,b,c에 모두 직교하는 벡터들의 집합

④ $\{x\in R^3 | (a\cdot x_1, b\cdot x_2, c\cdot x_3)=(0,0,-1)\}$

Ans. ③

37) 집합 $(v_1,v_2,v_3)\in R^3$가 다음 조건을 만족할 때 벡터공간이 아닌 것은?

① $v_1+v_2=0$ ② $v_1+v_2+v_3=1$ ③ $2v_2=v_3,\ v_1+v_3=0$ ④ $v_1=2v_2=3v_3$

Ans. ②

38) 다음에 주어진 집합 중 벡터공간이 아닌 것은?

① $5v_1-3v_2-2v_3=0$을 만족하는 R^3내의 모든 벡터
② 처음 3개 성분들이 모두 0인 R^5내의 모든 벡터
③ $v_1+v_2=0$과 $v_3-v_4=1$을 만족하는 R^4내의 모든 벡터
④ 3×3 크기의 모든 대칭행렬

Ans. ③

16항공

39) 행렬 $A \in R^{4\times 5}$에 대해 $rank(A)=3$일 때, $rank(A^T)+\dim(Null(A))+rank(AA^T)$ 값은 얼마인가? 여기서 A^T는 A의 전치행렬을 의미하고, $\dim(Null(A))$은 A의 영공간($Null$ space)의 차원(dimension)을 의미한다. 행렬의 모든 성분은 실수이다.

① 6 ② 7 ③ 8 ④ 9

Ans. ③

16국민

40) 세벡터 (1, 2, 0), (1, x, −1), ($-y$, 2, 2)가 일차 종속이 되기 위한 $x+y$의 값은?

① −3 ② 0 ③ 1 ④ 3

Ans. ③

18가천

41) 행렬 $A=\begin{pmatrix} 1 & 0 & -1 & -1 \\ 0 & 1 & -2 & 0 \\ 0 & 0 & 0 & 0 \end{pmatrix}$ 에 대해 두 벡터 (a,b,1,0), (c,d,0,1) 는 A의 영공간의 기저이다. a+b+c+d 의 값은?

① 1 ② 2 ③ 3 ④ 4

$Ans.$ ④

20에리카

42) 벡터 v_1, v_2, v_3, v_4에 의해 생성되는 R^3의 부분공간에 속하는 벡터는?

$$v_1=\begin{bmatrix}1\\1\\2\end{bmatrix},\ v_2=\begin{bmatrix}2\\1\\3\end{bmatrix},\ v_3=\begin{bmatrix}4\\3\\7\end{bmatrix},\ v_4=\begin{bmatrix}1\\2\\3\end{bmatrix}$$

① $\begin{bmatrix}-1\\4\\2\end{bmatrix}$ ② $\begin{bmatrix}4\\1\\-3\end{bmatrix}$ ③ $\begin{bmatrix}2\\-3\\5\end{bmatrix}$ ④ $\begin{bmatrix}1\\-3\\-2\end{bmatrix}$

$Ans.$ ④

09중대
43) 실수 성분을 갖는 7×10행렬 A의 열 공간과 행 공간을 각각R_A, C_A라 하자. $\dim(R_A)=4$일 때, $\dim(C_A^{\perp})$을 구하시오. (단, $C_A^{\perp}$는 C_A의 모든 원소에 직교하고 벡터공간을 나타내고, 임의의 부분 공간 W에 대하여 $\dim(W)$는 W의 차원을 나타낸다.)
$Ans.6$

13한양
44) 실공간 R^3의 부분공간 V는 벡터(1,2,3),(2,1,1)에 의해 생성되고 부분공간 W는 벡터(1,0,1),(3,0,−1)에 의해 생성될 때 부분공간 $V\cap W$의 생성원($Generator$)는?

① (1,2,3) ② (2,1,1) ③ (1,0,1) ④ (3,0,−1)
$Ans.$④

19숭실

45)행렬 A에 대하여 연립방정식 $Ax=0$의 해집합을 N_A라고 할 때, 다음 중 N_A가 직선을 포함하지 않는 행렬 A는?

① $A=\begin{bmatrix}1&-1&1\\2&-2&2\\3&-3&3\end{bmatrix}$ ② $A=\begin{bmatrix}1&-1&1\\0&1&0\\2&-2&2\end{bmatrix}$ ③ $A=\begin{bmatrix}1&1&0\\0&1&-1\\1&0&1\end{bmatrix}$ ④ $A=\begin{bmatrix}1&-1&1\\0&1&0\\1&0&0\end{bmatrix}$

$Ans.$ ④

18한양

46) 다음 <보기> 중에서 벡터공간 R^3 의 부분공간을 모두 고르시오.

가. $\{(x,y,7x-5y)|x,y\in R\}$
나. $\{(x,y,z)\in R^3|\,3x+7y-1=0\}$
다. $\{(x,y,z)\in R^3|xy=0\}\cap\{(x,y,z)\in R^3|yz=0\}\cap\{(x,y,z)\in R^3|zx=0\}$
라. $\{(x,y,z)\in R^3|\,5x+2y-3z=0\}$

① 가, 나 ② 가, 라 ③ 가, 나, 라 ④ 나, 다, 라

$Ans.$ ②

16항공

47) 행렬 $A=\begin{pmatrix}1&1&2\\0&1&1\\1&0&1\end{pmatrix}$를 고려하자, 3차원 공간상의 벡터 $x\in R^3$에 대해서 $y=Ax$라고 할 때, y값이 될 수 없는 것은?

① $y=\begin{bmatrix}6\\3\\3\end{bmatrix}$ ② $y=\begin{bmatrix}5\\2\\3\end{bmatrix}$ ③ $y=\begin{bmatrix}3\\3\\0\end{bmatrix}$ ④ $y=\begin{bmatrix}3\\2\\2\end{bmatrix}$

Ans. ④

18중대(수학)

48) 차수가 5 이하인 실수 계수 다항식의 집합이 이루는 벡터공간 $P_5(R)$에 대하여 세 개의 부분공간 U, V, W를 다음과 같이 정의할 때, 이들의 차원의 합은?

$$U=\{p(x)\in P_5(R)|p(0)=0\}$$
$$V=\{p(x)\in P_5(R)|p(-x)=p(x)\}$$
$$W=\left\{p(x)\in P_5(R)|\frac{dp(x)}{dx}=0\right\}$$

Ans. 9

18한양

49) 행렬 $A=\begin{pmatrix} 1 & -1 & 0 & 0 \\ 2 & 1 & 1 & 2 \\ 1 & 1 & 1 & 4 \end{pmatrix}$ 의 해공간, 열공간, 영공간의 차원을 각각 r, c, n 이라 할 때, $r+c-n$ 의 값은?

① 2 ② 3 ③ 4 ④ 5

$Ans.$ ②

16국민

50) 네 벡터

$\overrightarrow{v_1}=(1,0,0,0,1)$, $\overrightarrow{v_2}=(-2,1,-1,2,-2)$ $\overrightarrow{v_3}=(0,5,-4,9,0)$, $\overrightarrow{v_4}=(2,10,-8,18,2)$로 생성되는 R^5의 부분공간 W의 차원은?

① 1 ② 2 ③ 3 ④ 4

$Ans.$ ③

19서강

51) 행렬 $A=\begin{bmatrix}1&8&4&1&2\\1&4&2&1&0\\0&2&1&0&1\end{bmatrix}$에 대하여

A의 계급수를 r, A의 영공간의 차원을 n, A의 열공간의 차원을 c라고 할 때, $r+2n+3c$의 값은?

① 12 ② 14 ③ 15 ④ 16 ⑤ 18

Ans. ②

52)벡터공간에 대한 설명 중 틀린 것은?

①벡터공간 V의 두 개의 부분공간의 교집합은 공집합이 될 수도 있다.
②벡터공간 V의 두 개의 부분공간의 기저들의 교집합은 공집합이 될 수도 있다.
③ V와 W는 영성분만을 가지고 있는 부분공간이면, V와 W의 교집합은 공집합이다.
④ V와 W는 영성분만을 가지고 있는 부분공간이면, V와 W의 기저들의 교집합은 공집합이다.
⑤ W가 0차원의 공간이면, W의 기저는 공집합이다.

Ans. ①, ③

16광운

53) 표준 내적이 정의되어 있는 내적 공간

$V=R^{10}$과 V의 부분집합 $W=\{v\in V|v=-2v\}$에 대한 다음 명제 중 옳지 않은 것은?

(단, V의 부분공간 U에 대하여 $U^{\perp}$은 U의 직교여공간이다.)

① $W^{\perp}=V$이다. ② W의 차원은 1이다. ③ $(W^{\perp})^{\perp}$의 차원은 0이다.

④ W는 V의 부분 공간이다. ⑤ W의 기저는 공집합이다.

Ans. ②

13한양

54) 아래 < 보기 > 에서 벡터공간의 부분공간에 관한 기술 중 옳지 않은 것의 개수는?

< 보기 >

ㄱ. 모든 벡터공간은 적어도 두개의 서로 다른 부분공간을 갖는다.

ㄴ. 실공간 R^3의 부분공간 W에 벡터 $u+v$가 속하면, 벡터 u와 v도 W에 속한다.

ㄷ. 벡터공간 V의 두개의 부분공간의 교집합은 공집합이 될 수 있다.

ㄹ. 평면상의 모든 직선은 하나의 벡터에 의해 생성되는 실공간 R^2의 부분공간이다.

① 1 ② 2 ③ 3 ④ 4

Ans. ④

*고유치 : A가 n차 정방행렬일 때, $Av=\lambda v$를 만족하는 0이 아닌 벡터가 존재하면 스칼라 λ를 A의 고윳값$(eigen-value)$이라 한다.

*고유벡터 : λ에 대응하는 0이 아닌 벡터v를 A의 고유벡터$(eigen-vector)$

* A의 특성방정식(고유방정식) :
$A=(a_{ij})_{n\times n}$에 대해 $Av=\lambda v$, $(A-\lambda I)v=0$⇒자명하지 않은 해를 갖기 위한

필요충분 조건은 계수행렬의 행렬식이 0이 되어야한다. 즉, $|A-\lambda I|=0$이 되며 λ에 관한 n차 다항식.

*A가 정방행렬일때 다음과 같은 성질을 만족한다.

① $A=\begin{pmatrix} a & b \\ c & d \end{pmatrix}$의 특성방정식 : $\lambda^2-(a+d)\lambda+(ad-bc)=0$
② A가 상삼각행렬, 하삼각행렬, 대각행렬이면 A의 고윳값은 주대각선 성분들이다.
③ 고유치의 곱 = 행렬식의 값 = $|A|$
④ 고유치의 합 = 주 대각선 원소의 합 = $tr(A)$
⑤ A^n의 고유치는 λ^n이다.
⑥ A^{-1}의 고유치는 λ^{-1}
⑦ $\lambda=0$이면 A는 비가역행렬이다.
⑧ A와 A^T의 고유치는 같다. 하지만 고유공간이 같은 것은 아니다.(같을 수도 있음)
⑨ 행렬 tA의 고유치는 $t\lambda$이고 고유벡터는 v이다.(t는 스칼라)
⑩ 대칭행렬의 고유치는 모두 실수이다.
⑪ 대칭행렬의 서로다른 고유치에 대응하는 고유벡터는 서로수직이다.
⑫ 교대행렬의 고유치는 0 또는 순 허수이다.
⑬ 직교행렬의 고유치는 ±1 또는 켤레복소수 $a\pm bi$이고 크기는 1이다.
⑭ v가 A의 고유벡터이면 αv도 A의 고유벡터이다.$(\alpha\neq0)$

1) 행렬 $A=\begin{pmatrix}5&3\\3&5\end{pmatrix}$의 고윳값과 이에 대응하는 고유벡터로 옳은 것은?

① 고윳값 2, 고유벡터 $\begin{pmatrix}\sqrt{2}\\-\sqrt{2}\end{pmatrix}$ ② 고윳값 2, 고유벡터 $\begin{pmatrix}1\\1\end{pmatrix}$

③ 고윳값 8, 고유벡터 $\begin{pmatrix}1\\-1\end{pmatrix}$ ④ 고윳값 8, 고유벡터 $\begin{pmatrix}\sqrt{2}\\-\sqrt{2}\end{pmatrix}$

$Ans.$ ①

21이대

2) 3×3행렬 $A=\begin{pmatrix}4&-5&3\\0&2&-2\\1&0&-1\end{pmatrix}$의 고윳값(eigenvalue)들을 모두 더한 값과 곱한 값을 각각 a,b라 하자. ab의 값을 구하시오.

① -40 ② -20 ③ 0 ④ 20 ⑤ 40

3) 다음 행렬의 고윳값이 아닌 것은?

$$\begin{pmatrix}4&-3&1\\2&-1&2\\0&0&3\end{pmatrix}$$

① 1 ② 2 ③ 3 ④ 4

$Ans.$④

16서강

4) 행렬 $A=\begin{pmatrix}0&0&1\\0&1&2\\4&0&0\end{pmatrix}$ 의 고윳값 중 가장 큰 것과 가장 작은 것의 차는?

① 4 ② 3 ③ 2 ④ 1 ⑤ 0

5) 행렬 $A=\begin{pmatrix}2&0&0\\1&-1&-2\\-1&0&1\end{pmatrix}$의 서로 다른 두 개의 고유치 λ_1,λ_2에서 $\max|\lambda_1-\lambda_2|$는?

① 1 ② 2 ③ 3 ④ 4

*Ans.*③

15과기대

6) 다음 중 1이 고윳값이 되는 행렬을 모두 고른 것은?

$$A=\begin{pmatrix}2&0&0\\0&1&0\\1&0&3\end{pmatrix},\ B=\begin{pmatrix}2&1&0\\0&1&1\\0&0&3\end{pmatrix},\ C=\begin{pmatrix}2&0&0\\0&1&1\\0&1&3\end{pmatrix}$$

① A,B ② A,C ③ A,B,C ④ B,C

7) 다음 중 행렬 $A = \begin{pmatrix} 7 & 1 & -2 \\ -3 & 3 & 6 \\ 2 & 2 & 2 \end{pmatrix}$의 고윳값 6에 대응하는 고유벡터는 모두 몇 개인가?

ㄱ. $\begin{pmatrix} 2 \\ 0 \\ 1 \end{pmatrix}$ ㄴ. $\begin{pmatrix} 1 \\ 1 \\ 1 \end{pmatrix}$ ㄷ. $\begin{pmatrix} 0 \\ 2 \\ 1 \end{pmatrix}$ ㄹ. $\begin{pmatrix} 4 \\ 2 \\ 3 \end{pmatrix}$

① 1 ② 2 ③ 3 ④ 4

*Ans.*④

8) 행렬 $A = \begin{pmatrix} 2 & 0 & 0 & 0 \\ 1 & 3 & 0 & 0 \\ 2 & 0 & 4 & 0 \\ 1 & 4 & 2 & 5 \end{pmatrix}$의 고유벡터가 아닌 것은?

① $[3,-3,-3,5]$ ② $[0,1,0,-2]$ ③ $[0,0,1,-2]$ ④ $[2,0,-1,0]$

*Ans.*④

9) $A=\begin{pmatrix} 1 & 1 & -1 & 1 \\ 0 & 2 & 3 & 1 \\ 0 & 0 & 1 & 0 \\ 0 & 0 & 0 & 2 \end{pmatrix}$의 역행렬 A^{-1}를 $A^{-1}=aA^3+bA^2+cA+dI$로 나타낼 때,

a, b, c, d값들을 구하시오.

19홍대

10) 크기가 12×12인 행렬A

$$A=\begin{pmatrix} 0 & 1 & 1 & 1 & \cdots & 1 \\ 1 & 0 & 1 & 1 & \cdots & 1 \\ 1 & 1 & 0 & 1 & \cdots & 1 \\ 1 & 1 & 1 & 0 & \cdots & 1 \\ \vdots & \vdots & \vdots & \vdots\ 0 & \cdots & \vdots \\ 1 & 1 & 1 & 1 & 0 & 1 \\ 1 & 1 & 1 & 1 & \cdots & 0 \end{pmatrix}$$ 의 행렬식 $\det(A)$의 값을 구하면?

① 0 ② −11 ③ 12 ④ −12

$Ans.$②

13세종
11) 벡터 $(x,1,1,1)$, $(1,x,1,1)$,$(1,1,x,1)$,$(1,1,1,x)$가 일차종속이 되는 x중 서로 다른 값을 모두 더하면?

$Ans.\ -2$

21인하

12) 행렬 $A=\begin{pmatrix}1&2\\3&4\end{pmatrix}$에 대하여 행렬 B는 $AB=A-B$를 만족할 때, B의 대각원소의 합은?

ⓐ 0 ⓑ $\frac{1}{4}$ ⓒ $\frac{1}{2}$ ⓓ $\frac{3}{4}$ ⓔ 1

16가천

13) 행렬 $\begin{bmatrix} 1 & 0 & 2 \\ 3 & a & 4 \\ 0 & 0 & 5 \end{bmatrix}$의 특성방정식이 $x^3 - 8x^2 + bx - 5a = 0$일 때, $a + b$의 값은?

① 15 ② 17 ③ 19 ④ 21

*Ans.*③

16항공

14) 3×3 행렬 A의 고유치가 $\lambda_1 = 1, \lambda_2 = 2, \lambda_3 = 3$이다. 전치행렬(transpose) A^T와 역행렬 A^{-1}에 대한 행렬식(determinant) 값이 각각 $\det(A^T) = a$와 $\det(A^{-1}) = b$일 때, $\frac{a}{b}$값은 얼마인가? 행렬의 모든 성분은 실수이다.

① 1 ② 5 ③ 6 ④ 36

*Ans.*④

15) 행렬 $A=\begin{pmatrix}2&4&4\\0&1&-1\\0&1&3\end{pmatrix}$의 고윳값들의 합은?

① 0 ② 2 ③ 4 ④ 6

Ans.④

18항공

16) 행렬 A의 특성방정식이 $|A-\lambda I|=\left(\lambda-\frac{1}{2}\right)\left(\lambda-\frac{3}{2}\right)\left(\lambda-\frac{4}{5}\right)$일 때, $\lim_{n\to\infty}\sum_{k=0}^{n}|A|^k$의 값은?

① $\frac{5}{2}$ ② $\frac{5}{3}$ ③ $\frac{2}{5}$ ④ $\frac{3}{5}$

Ans.①

16홍대

17) 행렬 $A=\begin{pmatrix}1&0&1\\4&b&3\\1&0&a\end{pmatrix}$의 고윳값이 $-2,0,2$일 때, $a+b$의 값은?

① -1 ② 0 ③ 1 ④ 2

Ans.①

16중대

18)다음 행렬의 고유치를 모두 곱하면?

$$\begin{pmatrix}1&-1&4\\0&2&-1\\0&0&-7\end{pmatrix}$$

① -2 ② -4 ③ -14 ④ -28

Ans.③

16항공

19) 2×2행렬 $A=\begin{bmatrix} a & b \\ c & d \end{bmatrix}$의 고유치(eigen value)는 $\lambda_1=1, \lambda_2=2$이다, $\lambda_1=1$에 대한 고유벡터(eigen vector)는 $v=\begin{bmatrix} 1 \\ 1 \end{bmatrix}$, 그리고 $\lambda_2=2$에 대한 고유벡터는 $w=\begin{bmatrix} 1 \\ 0 \end{bmatrix}$이다. $a-b+c-d$의 값은 얼마인가?

① 0 ② 2 ③ 3 ④ 4

*Ans.*②

15중대

20) 주어진 행렬 X에 대하여 서로 다른 실수 고유치의 개수는?

$$X=\begin{pmatrix} 0 & 1 & 0 & 1 \\ 1 & 0 & 2 & 1 \\ 0 & 2 & 0 & 0 \\ 1 & 1 & 0 & 0 \end{pmatrix}$$

① 1개 ② 2개 ③ 3개 ④ 4개

*Ans.*④

15중대

21) 실수 성분의 행렬 $\begin{pmatrix} a & b \\ c & d \end{pmatrix}$가 서로 다른 두 개의 고유치를 항상 갖는 경우는?

① $bc > 0$ ② $a \neq d, bc \leq 0$ ③ $(a = b)^3 > 4bc$ ④ $a + d < ad - bc$

*Ans.*①

22) I_4를 4×4 단위행렬이라 하고 $B = \begin{pmatrix} 1 & 1 & 0 & 1 \\ 1 & 1 & 1 & 0 \\ 0 & 1 & 1 & 1 \\ 1 & 0 & 1 & 1 \end{pmatrix}$,

$P(\lambda) = \det(\lambda I_4 - B)$이라 할 때, 다항식 P의 모든 근의 합을 구하면?

① 0 ② 1 ③ 4 ④ 12

*Ans.*③

20이대

23) 행렬 $\begin{pmatrix} 1 & 2 & 3 \\ 2 & 100 & -1 \\ 3 & -1 & -100 \end{pmatrix}$의 고윳값들을 α, β, γ 라고 하자. $\alpha\beta + \beta\gamma + \gamma\alpha$의 값을 구하시오.

① 0 ② 1 ③ −10000 ④ 10014 ⑤−10014

*Ans.*⑤

13중대,11국민

24) 특성다항식이

$p(\lambda)=\lambda^3-4\lambda^2-4\lambda+16$ 인 3×3 행렬 A의 행렬식의 값은?

① -16 ② -8 ③ 8 ④ 16

$Ans.$①

21항공대

25) 행렬 $A=\begin{bmatrix} 7 & 0 & -6 \\ -9 & 2 & 3 \\ 4 & 0 & -3 \end{bmatrix}$ 에 대하여 행렬 A^5의 고윳값(eigenvalue) 중 가장 큰 값과 가장 작은 값을 각각 λ_1과 λ_2라 할 때, $\lambda_1-\lambda_2$의 값을 구하시오.

① 2 ② 32 ③ 80 ④ 242

26) 역행렬이 존재하는 두 행렬

A와 B가 $A=\begin{pmatrix}1&2\\3&4\end{pmatrix}B+2B$를 만족할 때, 행렬 AB^{-1}의 고유치들의 곱은?

① 9 ② 12 ③ 15 ④ 18

*Ans.*②

27) 행렬 $A=\begin{pmatrix}1&4&1\\2&1&0\\-1&3&1\end{pmatrix}$에 대하여, 행렬 $3A^2+5A$의 고윳값이 아닌 것은?

① −2 ② 0 ③ 22 ④ 68

*Ans.*③

28) 행렬 $A=\begin{pmatrix}2&0&0&0\\2&1&4&0\\1&0&1&0\\2&3&5&1\end{pmatrix}$일 때 $|A^2+(A^{-1})^2|$의 값은?

① 8 ② 18 ③ 27 ④ 34

*Ans.*④

한양

29) 행렬 $\begin{pmatrix}0&1&1&1\\1&1&0&1\\1&0&1&1\\1&1&1&0\end{pmatrix}$에서 서로 다른 임의의 두 개의 고윳값을 a, b라 하자. a의 고유벡터를 v, b의 고유벡터를 w라 할 때, v^Tw의 값으로 가능한 것은?

① 0 ② 1 ③ $\frac{3}{4}$ ④ 2

*Ans.*①

16항공

30) 고윳값 3, -2와 그들에 대응하는 고유벡터가 각각 $\begin{pmatrix} 3 \\ 4 \end{pmatrix}, \begin{pmatrix} -4 \\ 3 \end{pmatrix}$일 때 2×2대칭행렬을 $[a_{ij}]$라 하자. $a_{12}+a_{22}$의 값을 구하면?

① 0 ② 1 ③ 2 ④ $\frac{18}{5}$

*Ans.*④

10한양

31) 다음 중 행렬 $A=\begin{pmatrix} 1 & 1 & 1 \\ 1 & 1 & 1 \\ 1 & 1 & 1 \end{pmatrix}$의 고유벡터를 고르면?

ㄱ. $\begin{pmatrix} 2 \\ 2 \\ 2 \end{pmatrix}$ ㄴ. $\begin{pmatrix} 3 \\ 0 \\ -3 \end{pmatrix}$ ㄷ. $\begin{pmatrix} 2 \\ -5 \\ 4 \end{pmatrix}$ ㄹ. $\begin{pmatrix} 3 \\ -7 \\ 4 \end{pmatrix}$

① ㄱ ② ㄱ,ㄴ ③ ㄱ,ㄴ,ㄹ ④ ㄴ,ㄷ,ㄹ

*Ans.*③

10한양

32) 행렬 $A=\begin{pmatrix} a & b \\ c & d \end{pmatrix}$에 대해 단위벡터인 2차원 열벡터 u와 v가 있다. $Au=u, Av=3v$가 성립하는 행렬 A가 될 수 있는 것을 고르면?

① $\begin{pmatrix} 2 & 1 \\ -1 & 1 \end{pmatrix}$ ② $\begin{pmatrix} 1 & -1 \\ 1 & 3 \end{pmatrix}$ ③ $\begin{pmatrix} 2+\sqrt{2} & 1 \\ 1 & 2-\sqrt{2} \end{pmatrix}$ ④ $\begin{pmatrix} 2+\sqrt{2} & 1 \\ -1 & 2-\sqrt{2} \end{pmatrix}$

*Ans.*④

33) u, v가 서로 수직인 3차원 단위벡터이고 $w=u\times v$라 하자.

$u=(u_1,u_2,u_3)$, $v=(v_1,v_2,v_3)$, $w=(w_1,w_2,w_3)$일 때 행렬 $A=\begin{pmatrix} u_1 & u_2 & u_3 \\ v_1 & v_2 & v_3 \\ w_1 & w_2 & w_3 \end{pmatrix}$에 대하여 다음 중 옳은 것을 모두 고르면?

ㄱ. $A^{-1}=A^T$
ㄴ. $\det(A)=1$
ㄷ. A의 고유치 중엔 반드시 1 혹은 -1이 있다.

① ㄱ ② ㄷ ③ ㄱ,ㄴ ④ ㄱ,ㄴ,ㄷ

*Ans.*④

34) $A=\begin{pmatrix} 1 & 0 & 0 & 0 \\ 2 & -1 & 0 & 0 \\ 3 & 4 & 1 & 0 \\ 5 & 6 & 7 & -1 \end{pmatrix}$일 때, A^8-4A^2+4I를 간단히 하면?

① 0 ② I ③ A ④ A^2

Ans. ②

16숭실

35)다음 행렬 중 고윳값 λ_1, λ_2의 합$\lambda_1+\lambda_2$가 가장 큰 것은?

① $\begin{bmatrix} 3 & 2 \\ 1 & 2 \end{bmatrix}$ ② $\begin{bmatrix} 3 & 1 \\ 1 & 4 \end{bmatrix}$ ③ $\begin{bmatrix} 2 & 2 \\ 3 & 4 \end{bmatrix}$ ④ $\begin{bmatrix} 4 & 9 \\ 1 & 4 \end{bmatrix}$

Ans. ④

36) 다음 중 고윳값의 합이 가장 큰 행렬은?

① $\begin{pmatrix} 1 & 10 \\ 0 & 2 \end{pmatrix}$　② $\begin{pmatrix} 1 & 10 \\ 10 & -1 \end{pmatrix}$　③ $\begin{pmatrix} 0.3 & 0.7 \\ 0.7 & 0.3 \end{pmatrix}^{10}$　④ $\begin{pmatrix} 1 & 2 \\ 0 & 2 \end{pmatrix}^{-10}$

Ans. ①

16광운

37) 행렬 $A \in M_{n \times n}(R)$가 $A^{2016} = I_n$을 만족시킬 때 다음 명제 중 옳은 것을 모두 고르면? (단, I_n은 항등행렬이다.)

ㄱ. A는 삼각행렬이다.
ㄴ. λ가 A의 고윳값이면 $\lambda^{2016} = 1$이다.
ㄷ. A가 기약행 사다리꼴(reduced row echelon form) 행렬은 I_n이다.

① ㄱ　② ㄱ, ㄷ　③ ㄴ, ㄷ　④ ㄱ, ㄴ, ㄷ

Ans. ③

16경기,중대

38) a,b,c,d가 실수일 때, 다음중 옳은 것을 모두 고르면?

ㄱ. $(a-d)^2+4bc>0$이면 A의 고윳값은 서로 다른 두 실수이다.
ㄴ. $(a-d)^2+4bc=0$이면 A는 실수의 고윳값만 갖는다.
ㄷ. $(a-d)^2+4bc<0$이면 A는 실수의 고윳값을 갖지 않는다.
ㄹ. $b=c$이면 A의 모든 고윳값은 실수이다.

① ㄱ, ㄷ ② ㄱ, ㄴ, ㄹ ③ ㄱ, ㄷ, ㄹ ④ ㄱ, ㄴ, ㄷ,ㄹ

Ans. ④

39) 다항식 $P(z)$을 다음과 같이 행렬식으로 정의 할 때 미분계수 $P'(0)$의 값은?

$$P(z)=\det(zI-A),\ A=\begin{pmatrix}3 & -2 & 4\\ 4 & -3 & 4\\ -2 & 0 & -3\end{pmatrix}$$

① 1 ② 3 ③ 5 ④ 7

Ans. ④

40) 행렬 $A=\begin{pmatrix} 1 & -1 & 2 & 3 \\ 2 & 2 & 0 & 2 \\ 4 & -4 & -1 & -1 \\ 1 & -1 & 3 & 0 \end{pmatrix}$의 고유다항식의 상수항의 값을 구하면?

① 0 ② 64 ③148 ④ 160

Ans. ④

04중대

41) 행렬A가 다음과 같이 주어졌고, I는 단위행렬이라고 하자.

$$A=\begin{pmatrix} 1 & 2 & 1 \\ 6 & -1 & 0 \\ -1 & -2 & 1 \end{pmatrix}$$

이때 $B=A-\lambda I$ 라고 할 때, B의 행렬식이 0이 되게 하는 모든 λ들을 곱한 값은?

① −13 ②16 ③22 ④−26

Ans. ④

42) 행렬 $A=\begin{pmatrix} 1 & 1 & 1 & 1 \\ 1 & -1 & 1 & -1 \\ 1 & 1 & -1 & -1 \\ 1 & -1 & -1 & 1 \end{pmatrix}$에 대하여, 행렬 A의 행렬식 값을 a라 하고 고윳값은

$\lambda_1, \lambda_2, \lambda_3, \lambda_4$ 라 할 때, $a+\lambda_1+\lambda_2+\lambda_3+\lambda_4$의 값은?

① 4 ② 8 ③ 16 ④ 32

Ans. ③

43) 행렬 $A=\begin{pmatrix} 1 & 0 & 1 \\ 2 & 2 & 0 \\ 8 & 0 & 3 \end{pmatrix}$ 의 고윳값(eigenvalue)이 아닌 것은?

① 1 ② −1 ③ 2 ④ 5

Ans. ①

44) 다음 중 행렬 $A=\begin{pmatrix} 6 & -11 & 6 \\ 1 & 0 & 0 \\ 0 & 1 & 0 \end{pmatrix}$의 역행렬 A^{-1}의 고윳값은?

① $\frac{1}{2}$ ② $\frac{3}{2}$ ③ 2 ④ 3

Ans. ①

45) 행렬 $\begin{pmatrix} 0 & 0 & i \\ 0 & i & 0 \\ i & 0 & 0 \end{pmatrix}$의 고윳값의 역수들의 합은 얼마인가?

① i ② $-i$ ③ $-\frac{i}{3}$ ④ -1

Ans. ②

16에리카

46) 행렬 $A = \begin{pmatrix} 1/2 & 1/2 \\ 1/2 & -1/2 \end{pmatrix}$에 대하여 $tr(A^{2016})$의 값은?

① 2^{-1009} ② 2^{-1008} ③ 2^{-1007} ④ 2^{-1006}

Ans. ③

14중대

47) 4×4행렬 A의 특성다항식이 $\det(A-tI)=t^4-10t^3+35t^2-50t+24$일 때,

A의 역행렬 A^{-1}의 특성다항식 $\det(A^{-1}-tI)=t^4+c_3t^3+c_2t^2+c_1t+c_0$라 하면,

c_2+c_3의 값은? (단, I는 4×4 단위행렬이다.)

① $-\frac{5}{2}$ ② $-\frac{5}{8}$ ③ $\frac{5}{8}$ ④ $\frac{3}{2}$

Ans. ②

48) 행렬 $A=\begin{pmatrix} 1 & -1 & -1 \\ -1 & 1 & -1 \\ -1 & -1 & 1 \end{pmatrix}$에 대하여 $-2A^3$의 모든 고윳값의 합을 구하면?

① −40 ② −30 ③ −20 ④ −10

Ans. ②

49) n차 정사각행렬 A에 대항 다음 중 옳은 것을 모두 고른 것은?

가. $Ax=\lambda x$를 만족시키는 0이 아닌 벡터 x가 존재하면 λ는 A의 고윳값이다.
나. A가 비정칙행렬이기 위한 필요충분조건은 0이 A의 고윳값이다.
다. A의 서로 다른 고윳값들에 대응되는 고유벡터들은 일차독립이다.

① 가,나 ② 가,다 ③ 나, 다 ④ 가, 나, 다

Ans. ④

50) 다음 행렬 중 고윳값이 실수가 아닌 것은?

① $\begin{pmatrix} 2 & 5 \\ 1 & -3 \end{pmatrix}$ ② $\begin{pmatrix} 2 & -3 \\ 7 & -4 \end{pmatrix}$ ③ $\begin{pmatrix} 1 & 4 & -3 \\ 0 & 3 & 1 \\ 0 & 2 & 1 \end{pmatrix}$ ④ $\begin{pmatrix} 1 & 1 & 1 \\ 0 & 2 & 1 \\ 0 & 0 & 1 \end{pmatrix}$

Ans. ②

51) R^2의 벡터 $v=\begin{pmatrix} x \\ y \end{pmatrix}$의 크기를 $\| v \| = \sqrt{x^2+y^2}$로 나타내고 $A=\begin{pmatrix} 3 & 2 \\ 2 & 0 \end{pmatrix}$라 하자.

$\| v \| = 1$인 모든 벡터 v에 대하여 $\| Av \|$가 취할 수 있는 최댓값과 최솟값을 각각

M, m이라 할 때, $\frac{M}{m}$의 값은?

① $\sqrt{\frac{32}{5}}$ ② $\sqrt{\frac{53}{5}}$ ③ 4 ④ 16

Ans. ③

52) 2×2행렬 A에 대하여 $\det(A)=tr(A)=4$ 만족할 때, 행렬 A의 고윳값을 구하면?

① 2 ② 4 ③ $-2,\ 6$ ④ 8

Ans. ①

15성대

53) 실수 원소를 갖는 $m \times n$ 행렬 A의 계수($rank$)가 k일 때, 다음중 항상 옳은 것은?

① A의 임의의 k개의 열벡터들이 일차독립이다.

② A의 특이값(singular value)들이 k개이다.

③ A의 모든 $k \times k$부분행렬은 가역행렬이다.

④ A의 영공간의 차원은 $m-k$이다.

⑤ A^TA의 행공간($row\,space$)의 차원은 k이다.

$Ans.$ ⑤

15성대

54) 크기가 3×3인 행렬 A가 $tr(A)=2$, $tr(A^2)=6$, $tr(A^3)=8$ 을 만족할 때, $\det(A)$값은?

$Ans.$ -2

14중대(공대)

55) 임의의 정방행렬 A의 대각원소의 합을 $tr(A)$로 나타내고 $B=\begin{pmatrix} 1 & 0 \\ 1 & 2 \end{pmatrix}$, $I=\begin{pmatrix} 1 & 0 \\ 0 & 1 \end{pmatrix}$이라 할 때,

$tr(I)+\sum_{k=1}^{\infty} tr(B^k)(\frac{1}{3})^k$의 값은?

① 2 ② $\frac{5}{2}$ ③ 4 ④ $\frac{9}{2}$

$Ans.$ ④

17중대(수학)

56) 특성다항식이 $\phi(t)=t^4-4t^3-15t^2-38t-108$인 4×4행렬 A와 A의 역행렬A^{-1}에 대하여 이들의 대각합의 곱, 즉$tr(A)\cdot tr(A^{-1})$은 얼마인가?

18성대

57) 행렬 $A=\begin{bmatrix}1&0&0\\3&-1&0\\4&2&-2\end{bmatrix}$ 와 실수 a_0, a_1, a_2 에 대하여 $A^5=a_2A^2+a_1A+a_0I$ 일 때, 합 $a_0+a_1+a_2$ 의 값은?

① 1 ② 2 ③ 3 ④ 4 ⑤ 5

Ans. ①

58) 다음 설명중 틀린 것을 고르시오.

① 4차 정방행렬 A의 고유치가 $0, 2, 3, -1$일 때 행렬 A는 가역행렬이다.

② A와 B가 $n\times n$일 때 AB와 BA의 고윳값은 같다.

③ A의 고유치가 λ이면 $A+3A^2$의 고유치는 $\lambda+3\lambda^2$이다.

④ A의 고유치가 α, B의 고유치가 β일 때 $A+B$의 고유치는 $\alpha+\beta$이다.

Ans. ①, ④

*행렬의 대각화($diagonalization$): 주 대각선의 원소만을 남기고 나머지 원소들을 모두 0으로 만드는 과정

*대각행렬 : $D=P^{-1}AP,\ D=\begin{pmatrix}\lambda_1 & 0 & 0\\ 0 & \lambda_2 & 0\\ 0 & 0 & \lambda_3\end{pmatrix},\ D^n=\begin{pmatrix}\lambda_1^n & 0 & 0\\ 0 & \lambda_2^n & 0\\ 0 & 0 & \lambda_3^n\end{pmatrix}$

① n차 정방행렬 A, D사이에 $D=P^{-1}AP$관계를 만족하는 D를 A의 대각행렬이다.
이때 A와 D는 닮은 행렬이다. (※닮은($Similar$)행렬이라 해서 항상 대각행렬은 아니다.)

② 대각행렬의 역행렬이 존재하기 위해서는 주 대각선 원소가 모두 0이 아니어야 한다.

*대각화가능 : 정방행렬 A에 대하여 $P^{-1}AP$가 대각행렬로 되는, A의 고유벡터를 열벡터로 갖는 P가 존재하면'행렬A는 대각화 가능'이라 하고 행렬P는 A를 대각화한다.
따라서,

① n차 정방행렬 A가 대각화가능할 필요충분조건은 A가 n개의 서로다른 고유치를 갖거나 n개의 일차독립인 고유벡터를 갖는 것이다.
(※행렬 A가 대각화 가능하면 반드시 n개의 일차독립인 고유벡터를 갖지만 무조건 n개의 서로 다른 고유치를 갖는것은 아니다.)
② A가 대칭행렬이면 대각화 가능(직교대각화도 가능)
③대수적중복도 = 기하적중복도

*대수적중복도 : $|A-\lambda E|=0$에서 고유치 λ_n에 대한 고유다항식의 차수를 말한다.
(1중근은 독립인 고유벡터를 하나만 갖는다.)

*기하학적 중복도 : 고유치 λ_n에 대한 고유벡터의 개수를 말한다. 또는 고유공간의 차원을 의미하거나 $(A-\lambda I)v=O$에서 고유벡터(해)의 수는 해공간의 차원이다.

☞정리 : 행렬 A의 모든 고윳값에 대한 기하학적 중복도와 대수적 중복도가 같으면 대각화 가능이다.

*닮은 행렬의 성질
① $|A|=|D|$
② $tr(A)=tr(D)$
③ $Rank(A)=Rank(D)$
④ $Nullity\ (A)=Nullity\ (D)$
⑤ A와 D의 고유치(값)는 같다.
⑥ A와 D는 같은 특성다항식을 갖고 같은 대수적 중복도를 갖는다.
⑦ A와 D는 고유벡터가 다를 수 있다.(같을 수도 있다.)
⑧ A가 가역이면 D도 가역이다.
⑨ 고유공간의 차원이 같다.
⑩ A^n과 D^n도 닮은 행렬이다.

행렬의 멱승 : $A\times A\cdots\times A=A^n$
$A^mA^n=A^{m+n}$
$(A^m)^n=A^{mn}$

A^n의 계산 (1). 수열이용
(2). 단위행렬이용
(3). (행렬A가 대각화가능하면)
고유치이용 $D^n=P^{-1}A^nP=(P^{-1}AP)^n$ ($P=$ 대각화행렬)

*케일리 - 헤밀턴정리 : n차정방행렬A가 고유방정식 $f(\lambda)=|A-\lambda E|=0$의 근일때 $f(A)=0$을 만족한다.
(쉽게, λ대신 A대입)
2차정방 $A=\begin{pmatrix} a & b \\ c & d \end{pmatrix}$일때 $A^2-(a+d)A+(ad-bc)E=O$

n차정방행렬 A의 특성다항식 $f(\lambda)=\lambda^n+a_{n-1}\lambda^{n-1}+\cdots+a_1\lambda+a_0$일 때
$tr(A)=-a_{n-1}$, $\det(A)=(-1)^na_0$

1) 행렬 $A=\begin{pmatrix} 1 & -3 \\ 2 & 6 \end{pmatrix}$일 때, A^{100}을 구해라.

2) $A=\begin{pmatrix}1 & 1\\ 5 & -3\end{pmatrix}$의 고유벡터들로 이루어진 행렬 P에 대해 $P^{-1}AP$의 원소들은?

$Ans.$ $-4,\ 2,\ 0$

3) $A=\begin{pmatrix}2 & 1\\ 1 & 2\end{pmatrix}$이고 $A^{19}=\begin{pmatrix}a & b\\ c & d\end{pmatrix}$일 때 $a+d=?$

$\begin{vmatrix}2-\lambda & 1\\ 1 & 2-\lambda\end{vmatrix}=(2-\lambda)^2-1,\ \lambda=1,3$, A^{19}의 $\lambda=1,3^{19}$, $trace A=1+3^{19}$

4) $A=\begin{pmatrix}3 & 2\\ 2 & 3\end{pmatrix}$이고 $A^{n}=\begin{pmatrix}a_n & b_n\\ c_n & d_n\end{pmatrix}$일 때, $\lim_{n\to\infty}\frac{a_n+d_n}{5^n}=?$

$Ans.$ 1

13항공,12중대,11이대

5) $A=\begin{pmatrix} 0 & 1 \\ \frac{1}{2} & \frac{1}{2} \end{pmatrix}$에 대하여 $A^n=\begin{pmatrix} a_n & b_n \\ c_n & d_n \end{pmatrix}$이라 할 때, $\lim_{n\to\infty}(a_n+d_n)$의 값은?

① 2 ② $\frac{1}{2}$ ③ 1 ④ $\frac{1}{3}$

*Ans.*③

15에리카

6) 행렬 $A=\begin{pmatrix} 2 & -4 \\ 3 & -5 \end{pmatrix}$에 대하여 $tr(A^{2015})$의 값은?

①$1-2^{2015}$ ② $-1-2^{2015}$ ③$1+2^{2015}$ ④$-1+2^{2015}$

*Ans.*②

16광운

7) 다음 행렬 중 대각화 가능한 행렬을 모두 고르면?

$$A=\begin{pmatrix}7 & 1\\ 2 & -2\end{pmatrix},\ B=\begin{pmatrix}-3 & 0\\ 0 & 8\end{pmatrix},\ C=\begin{pmatrix}2 & 10\\ 1 & 5\end{pmatrix}$$

① A ② B ③ A, C ④ B, C ⑤ A, B, C

12홍익

8) 실수에서 정의된 다음 행렬 중 대각화 되지 않는 것을 찾으시오.

①$\begin{pmatrix}1 & -1\\ 2 & 4\end{pmatrix}$ ②$\begin{pmatrix}0 & 2\\ -1 & 3\end{pmatrix}$ ③$\begin{pmatrix}2 & 1\\ -1 & 4\end{pmatrix}$ ④$\begin{pmatrix}1 & 2\\ 0 & -4\end{pmatrix}$

*Ans.*③

13세종

9) 다음 행렬 중 대각화가 가능하지 않은 것을 고르면?

① $\begin{pmatrix} 1 & 1 & 0 \\ 0 & 2 & 0 \\ 0 & 0 & 3 \end{pmatrix}$ ② $\begin{pmatrix} 1 & 2 & 0 \\ 0 & 1 & 1 \\ 0 & 0 & 3 \end{pmatrix}$ ③ $\begin{pmatrix} 3 & 1 & 0 \\ 0 & 1 & 0 \\ 0 & 0 & 2 \end{pmatrix}$ ④ $\begin{pmatrix} 1 & 1 & 0 \\ 1 & 1 & 1 \\ 0 & 0 & 3 \end{pmatrix}$

Ans. ②

16한양

10) 다음 <보기> 에 있는 행렬들 중 실수체 R 위에서 대각화가 가능한 행렬의 개수는?

가. $\begin{pmatrix} -1 & 0 & 1 \\ 3 & 0 & -3 \\ 1 & 0 & -1 \end{pmatrix}$ 나. $\begin{pmatrix} 2 & 0 & 0 \\ 1 & 3 & 0 \\ -3 & 5 & 3 \end{pmatrix}$ 다. $\begin{pmatrix} 4 & -2 & 1 \\ 2 & 0 & 3 \\ 2 & -2 & 3 \end{pmatrix}$ 라. $\begin{pmatrix} 0 & 0 & -2 \\ 1 & 2 & 1 \\ 1 & 0 & 3 \end{pmatrix}$

① 1 ② 2 ③ 3 ④ 4

Ans. ②

16경기

11) $A=\begin{pmatrix}3 & -2\\2 & -3\end{pmatrix}$일 때, A^{200}은?

① $\begin{pmatrix}5^{100} & 0\\0 & 5^{100}\end{pmatrix}$ ② $\begin{pmatrix}2^{200} & 3^{200}\\3^{200} & 2^{200}\end{pmatrix}$ ③ $\begin{pmatrix}5^{200} & 0\\0 & 5^{200}\end{pmatrix}$ ④ $\begin{pmatrix}3^{200} & 2^{200}\\2^{200} & 3^{200}\end{pmatrix}$

$Ans.$①

12) 행렬 $A=\begin{pmatrix}2 & 1\\1 & 2\end{pmatrix}$일 때, A^{20}을 구하시오.

①$\frac{1}{2}\begin{pmatrix}-1+3^{20} & 3^{20}+1\\3^{20}+1 & -1+3^{20}\end{pmatrix}$ ②$\frac{1}{2}\begin{pmatrix}1+3^{20} & 3^{20}-1\\3^{20}-1 & 1+3^{20}\end{pmatrix}$ ③$\frac{1}{2}\begin{pmatrix}1+3^{19} & 3^{19}-1\\3^{19}-1 & 1+3^{19}\end{pmatrix}$ ④$\frac{1}{2}\begin{pmatrix}1-3^{20} & -3^{20}-1\\-3^{20}-1 & 1-3^{20}\end{pmatrix}$

$Ans.$②

13) 행렬 $A=\begin{pmatrix}1&2\\2&1\end{pmatrix}$일 때, A^{100}을 구한 것은?

① $\begin{pmatrix}\frac{3^{100}+1}{2}&\frac{3^{100}-1}{2}\\\frac{3^{100}-1}{2}&\frac{3^{100}+1}{2}\end{pmatrix}$ ② $\begin{pmatrix}\frac{3^{100}-1}{2}&\frac{3^{100}+1}{2}\\\frac{3^{100}-1}{2}&\frac{3^{100}+1}{2}\end{pmatrix}$ ③ $\begin{pmatrix}\frac{5^{100}+1}{2}&\frac{5^{100}-1}{2}\\\frac{5^{100}-1}{2}&\frac{5^{100}+1}{2}\end{pmatrix}$ ④ $\begin{pmatrix}\frac{5^{100}-1}{2}&\frac{5^{100}+1}{2}\\\frac{5^{100}+1}{2}&\frac{5^{100}-1}{2}\end{pmatrix}$

*Ans.*①

14) $A=\begin{pmatrix}2&3\\-\frac{1}{2}&-\frac{1}{2}\end{pmatrix}$에 대해 $\lim_{n\to\infty}A^n=\begin{pmatrix}a&b\\c&d\end{pmatrix}$라고 할 때 $a+b+c+d$의 값은?

① 4 ② 5 ③ 6 ④ 7

*Ans.*③

15) 2×2행렬 $M=\begin{pmatrix} \frac{7}{10} & \frac{1}{5} \\ \frac{3}{10} & \frac{4}{5} \end{pmatrix}$이고 $\lim_{n\to\infty} M^n = \begin{pmatrix} x_1 & x_2 \\ x_3 & x_4 \end{pmatrix}$일 때, $5^4 x_1 x_2 x_3 x_4$의 값은?

① 36 ② 37 ③ 38 ④ 39

*Ans.*①

16) 크기가 3×3인 행렬 A에 대하여 벡터 $\overrightarrow{v_1}=\begin{pmatrix} 1 \\ 2 \\ 1 \end{pmatrix}$이 $null(A+2I_3)$의 기저벡터이고 벡터 $\overrightarrow{v_2}=\begin{pmatrix} 1 \\ 0 \\ 2 \end{pmatrix}$이 $null(A-I_3)$의 기저벡터일 때, $A^3\begin{pmatrix} 1 \\ -2 \\ 3 \end{pmatrix}$의 각 성분의 합은?

(단 $null(B)$는 행렬 B의 영공간이다.)

① 38 ② 39 ③ 40 ④ 41 ⑤ 42

*Ans.*①

16중대

17) $\begin{pmatrix} 3 & -1 \\ -1 & 3 \end{pmatrix}^{10}\begin{pmatrix} 1 \\ 1 \end{pmatrix}=\begin{pmatrix} a \\ b \end{pmatrix}$일 때 $a+b$의 값은?

① 2^{10} ② 2^{11} ③ 2^{12} ④ 2^{13}

$Ans.$②

한양

18) 실수체 R에서 $A=\begin{pmatrix} 1 & 1 & 0 \\ 0 & 2 & 2 \\ 0 & 0 & 3 \end{pmatrix}$가 있다. 행렬의 대각화 (Diagonalization)를 이용할 때 행렬 A^7의 $(1,2)$성분의 값은?

$Ans.$ 127

19) 크기가 4×4인 행렬 $A=\begin{pmatrix}1&2&0&-3\\0&0&1&-1\\0&0&0&2\\0&0&0&-1\end{pmatrix}$에 대하여 A^{2016}의 각 성분의 합은?

① 3 ② 4 ③ 5 ④ 6

*Ans.*③

13항공

20) 행렬$A=\begin{pmatrix}7&10\\-2&-2\end{pmatrix}$에 대해 다음의 벡터$x$중 $\lim_{n\to\infty}\left(\frac{1}{3}A\right)^n x=0$을 만족하는 것은?

①$\begin{pmatrix}15\\-6\end{pmatrix}$ ②$\begin{pmatrix}14\\-7\end{pmatrix}$ ③$\begin{pmatrix}7\\-3\end{pmatrix}$ ④$\begin{pmatrix}1\\1\end{pmatrix}$

*Ans.*②

16단국

21) 행렬 $A=\begin{bmatrix} 3 & -2 & 0 \\ -2 & 3 & 0 \\ 0 & 0 & 5 \end{bmatrix}$가 있다. 행렬 $P=\begin{bmatrix} 1 & -1 & 0 \\ a & 1 & 0 \\ 0 & 0 & 1 \end{bmatrix}$가 $P^{-1}AP=\begin{bmatrix} b & 0 & 0 \\ 0 & c & 0 \\ 0 & 0 & d \end{bmatrix}$를 만족시킬 때, $a^2+b^2+c^2+d^2$의 값은?

① 34 ② 37 ③ 52 ④ 55

*Ans.*③

19에리카

22) 행렬$A=\begin{bmatrix} 1 & 0 & 0 \\ 0 & 1 & 1 \\ 0 & -1 & 1 \end{bmatrix}$의 대각화 행렬을 $D=\begin{bmatrix} \lambda_1 & 0 & 0 \\ 0 & \lambda_2 & 0 \\ 0 & 0 & \lambda_3 \end{bmatrix}$이라 할 때, $\frac{1}{\lambda_1}+\frac{1}{\lambda_2}+\frac{1}{\lambda_3}$의 값은?

① $\frac{1}{3}$ ② $\frac{1}{2}$ ③ 2 ④ 3

*Ans.*③

19한양

23) 3×3 행렬 B의 고윳값은 1,2,3이고, 행렬 A는 B와 닮은 행렬일 때, $\det(A-4I)$의 값은?

① -6 ② -3 ③ 0 ④ 6 ⑤ 37

$Ans.$①

19서강

24) 행렬 $A=\begin{bmatrix}0&1&0\\4&0&0\\0&1&1\end{bmatrix}$는 어떤 대각행렬 D와 가역행렬 S에 대하여 $A=S^{-1}DS$를 만족한다. D의 대각합과 행렬식의 합은?

① -3 ② 4 ③ -4 ④ 2 ⑤ -1

$Ans.$①

19한양

25) 행렬 $A=\begin{pmatrix}2&3\\1&0\end{pmatrix}$에 대하여 $A^{2019}\begin{pmatrix}1\\1\end{pmatrix}=\begin{pmatrix}a\\b\end{pmatrix}$일 때, $a+b$의 값은?

① $3^{2019}-1$ ② 3^{2019} ③ $3^{2019}+1$ ④ $2\cdot 3^{2019}-1$ ⑤ $2\cdot 3^{2019}$

*Ans.*⑤

19한양

26) 행렬 $\begin{pmatrix}1&3&0&3\\2&7&-1&5\\-1&0&2&-1\end{pmatrix}$의 영공간의 기저가 벡터 $v=(a,b,c,d)$이면 $\frac{b}{a}+\frac{d}{c}$의 값은?

① −3 ② −2 ③ −1 ④ 0 ⑤ 1

*Ans.*③

19한양

27) 행렬

$A=\begin{pmatrix} 2 & -2 & 2 \\ 0 & 1 & 1 \\ -4 & 8 & 3 \end{pmatrix}$의 고유값 $\lambda_1, \lambda_2, \lambda_3$에 대응하는 고유벡터를

각각$a=\begin{pmatrix} a_1 \\ 1 \\ a_3 \end{pmatrix}, b=\begin{pmatrix} b_1 \\ b_2 \\ 4 \end{pmatrix}, c=\begin{pmatrix} 2 \\ c_2 \\ c_3 \end{pmatrix}$이라할 때, $\lambda_1+\lambda_2+\lambda_3+a_1+b_2+c_3$의 값을 구하시오.

(단,$\lambda_1 < \lambda_2 < \lambda_3$)

Ans.14

28) 다음 중 옳은 것을 고르시오.

① $n \times n$인 행렬 A가 반드시 n개의 서로 다른 고윳값을 가져야만 행렬 A는 대각화 가능하다.

② 4×4행렬 A의 고윳값이 $-1, 0, 1, 2$일 때 A^2은 대각화 가능하다.

③ 대각화 가능하면 가역행렬이다.

④ $n \times n$행렬 A와 B가 동일한 n개의 고유벡터를 갖는다면 $AB=BA$가 항상 성립한다.

Ans.②,④

18과기
29) 다음 행렬 A는 두 λ_1, λ_2를 가진다. 고윳값 λ_1, λ_2에 대응하는 고유공간의 차원을 각각 n_1, n_2라 할 때, $\lambda_1+\lambda_2+n_1+n_2$는?

$$A = \begin{pmatrix} 3 & 0 & 14 & 7 \\ 0 & 3 & -4 & -2 \\ 0 & 0 & 15 & 6 \\ 0 & 0 & -18 & -6 \end{pmatrix}$$

① 13 ② 12 ③ 11 ④ 10
$Ans.$ ①

13중대
30) 다음에 주어진 행렬 K에 대하여 고유치 0의 중복도를 구하면?

$$K = \begin{pmatrix} 1 & 2 & 3 & 4 & 5 \\ 2 & 0 & 0 & 0 & 0 \\ 3 & 0 & 0 & 0 & 0 \\ 4 & 0 & 0 & 0 & 0 \\ 5 & 0 & 0 & 0 & 0 \end{pmatrix}$$

① 1 ② 2 ③ 3 ④ 4
$Ans.$ ③

15성대

31) 2×2행렬 A의고윳값 $\lambda_1=-1, \lambda_2=3$에 대응하는 고유벡터를 각각 $x_1=\begin{pmatrix}1\\-1\end{pmatrix}, x_2=\begin{pmatrix}2\\-3\end{pmatrix}$이라 할 때 $(A+I_2)^{2015}$의 모든 성분의 합은? (단 I_2는 2×2단위행렬 이다.)

① 2^{2015} ② 3^{2015} ③ 4^{2015} ④ 2^{4031} ⑤ 3^{4030}

Ans. ④

18경기

32) $A=\begin{pmatrix}0.9 & 0.1\\0.4 & 0.6\end{pmatrix}$이면 $\lim_{n\to\infty} A^n$을 구하면?

① $\begin{pmatrix}0 & 0\\0 & 0\end{pmatrix}$ ② $\frac{1}{5}\begin{pmatrix}1 & 0\\0 & 1\end{pmatrix}$ ③ $\frac{1}{5}\begin{pmatrix}4 & 1\\4 & 1\end{pmatrix}$ ④ $\frac{1}{5}\begin{pmatrix}1 & 4\\1 & 4\end{pmatrix}$

Ans. ③

중대

33) $A=\begin{pmatrix}2&-1&0&1\\0&3&-1&0\\0&1&1&0\\0&-1&0&3\end{pmatrix}$의 조르단표준형을 구하면?

1. $\begin{pmatrix}2&1&0&0\\0&2&1&0\\0&0&2&0\\0&0&0&3\end{pmatrix}$ 2. $\begin{pmatrix}2&1&0&0\\0&2&0&0\\0&0&2&0\\0&0&0&3\end{pmatrix}$ 3. $\begin{pmatrix}2&0&0&0\\0&2&0&0\\0&0&2&0\\0&0&0&3\end{pmatrix}$ 4. $\begin{pmatrix}2&1&0&0\\0&2&0&0\\0&0&3&1\\0&0&0&3\end{pmatrix}$

$Ans.2$

34) $A=\begin{pmatrix}2&-1&0&1\\0&3&-1&0\\0&1&1&0\\0&-1&0&3\end{pmatrix}$의 최소 다항식으로 맞는 것은?

① $(A-2I)=0$ ② $(A-2I)(A-3I)=0$ ③ $(A-2I)^2(A-3I)=0$ ④ $(A-2I)(A-3I)^2=0$

$Ans.$③

35) 행렬 $A=\begin{pmatrix} 2 & 1 & -2 & 0 \\ 0 & 0 & 1 & 0 \\ 0 & 0 & 0 & 1 \\ 1 & 0 & 0 & 0 \end{pmatrix}$는 고윳값 $-1,1,1,1$을 갖는다. A의 $Jordan$ 표준형을 구하면?

1. $\begin{pmatrix} -1 & 0 & 0 & 0 \\ 0 & 1 & 1 & 0 \\ 0 & 0 & 1 & 1 \\ 0 & 0 & 0 & 1 \end{pmatrix}$ 2. $\begin{pmatrix} -1 & 0 & 0 & 0 \\ 0 & 1 & 0 & 0 \\ 0 & 0 & 1 & 1 \\ 0 & 0 & 0 & 1 \end{pmatrix}$ 3. $\begin{pmatrix} -1 & 0 & 0 & 0 \\ 0 & -1 & 0 & 0 \\ 0 & 0 & 1 & 1 \\ 0 & 0 & 0 & 1 \end{pmatrix}$ 4. $\begin{pmatrix} -1 & 1 & 0 & 0 \\ 0 & -1 & 0 & 0 \\ 0 & 0 & 1 & 1 \\ 0 & 0 & 0 & 1 \end{pmatrix}$

$Ans.$ 1

한양

36) $A=\begin{pmatrix} 2 & 0 & 0 & 0 & 0 \\ 0 & 2 & 1 & 0 & 0 \\ 0 & 0 & 2 & 0 & 0 \\ 0 & 0 & 0 & 3 & 1 \\ 0 & 0 & 0 & 0 & 3 \end{pmatrix}$ 에서 상수 a,b,c,d에 대하여 $A^4+aA^3+bA^2+cA+dI=0$(단, I는 단위행렬) 가 만족될때, d는?

① 6 ② 18 ③ 36 ④ 72

$Ans.$ ③

11중대

37) 행렬 $J=\begin{pmatrix} 2&1&0&0&0 \\ 0&2&0&0&0 \\ 0&0&3&1&0 \\ 0&0&0&3&1 \\ 0&0&0&0&3 \end{pmatrix}$ 와 닮은 임의의 행렬 A에 대한 다음설명 중 옳지 않은 것은?

① A는 고윳값 2,3을 갖는다.
② A는 (1,0,0,0,0)을 고유벡터로 갖는다.
③ 행렬$(A-3I)^3$의 계수는 2이다.
④ A의 대각합은 13이다.

Ans. ②

13한양

38) 행렬 $A=\begin{pmatrix} 0&3&a \\ 0&1&0 \\ 0&0&b \end{pmatrix}$에 대하여 보기에서 옳은 것을 모두 고른 것은?

가. A의 최소다항식은 $m(x)=x(x-1)(x-b)$이다.
나. $b=1$이면 행렬 A는 대각화가 가능하다.
다. $a=b$이면 행렬 A는 대각화가 가능하다.

① 가 ② 나 ③ 다 ④ 나, 다

Ans. ④

20한양

39) 행렬 $\begin{pmatrix} 1&0&1&1 \\ 0&1&0&0 \\ 0&0&1&0 \\ 0&0&0&2 \end{pmatrix}$의 최소다항식은?

① x^2-3x+2 ② x^3-4x^2+5x-2 ③ x^3-5x^2+8x-4 ④ $x^4-5x^3+9x^2-7x+2$

⑤ $x^4-6x^3+13x^2-12x+4$

Ans. ②

11중대

40) 서로 다른 3개의 고윳값을 갖는 3×3행렬 A가 방정식 $A^3-8A^2+17A-10I=0$을 만족한다. 다음 설명 중 틀린 것은? (단, 여기에서 I와 0는 각각 3×3항등행렬과 영행렬이다.)

① $A-I$의 계수는 2이다. ② A는 가역행렬이다. ③ $\det(A^2-8A+17I)=100$

④ A의 전치행렬 A^T의 대각합은 $\frac{17}{10}$이다.

Ans. ④

18성대

41) 대각화 가능하며 실수 성분을 가지는 행렬 A의 특성다항식이 $p(t) = (t-1)(t-2)^3(t-3)^6$ 일 때, 행렬 $3I-A$ 의 계수는?

① 2 ② 4 ③ 6 ④ 8 ⑤ 10

$Ans.$ ②

19중대

42) 행렬 $A=\begin{pmatrix} 4 & 0 & 1 \\ 0 & 3 & 0 \\ 1 & 0 & 4 \end{pmatrix}$일 때, $x=\begin{pmatrix} x_1 \\ x_2 \\ x_3 \end{pmatrix}$, $\sqrt{x_1^2+x_2^2+x_3^2}=2$인 벡터에 대하여 $Ax=\begin{pmatrix} y_1 \\ y_2 \\ y_3 \end{pmatrix}$의 크기 $||Ax||=\sqrt{y_1^2+y_2^2+y_3^2}$의 최댓값은?

① $5\sqrt{2}$ ② 8 ③ 10 ④ 11

$Ans.$ ③

15광운

43) 행렬 $A \in M_{n \times n}(R)$가 대각화 가능한 행렬일 때 다음 중 대각화 가능한 행렬을 모두 고르면?

ⓐ $15A$ ⓑ $2A^3$ ⓒ $7A^T$

① ⓐ ② ⓐ, ⓑ ③ ⓐ, ⓒ ④ ⓑ, ⓒ ⑤ ⓐ, ⓑ, ⓒ

Ans. ⑤

18성대

44) 실수 성분을 갖는 n×n 행렬 A,B,C에 대하여, 다음 중 옳지 않은 것은?

① AB와 BA는 동일한 고윳값을 가진다.

② AB−BA = I 는 성립하지 않는다.

③ A는 두 개의 가역행렬의 합으로 쓰일 수 있다.

④ 영행렬이 아닌 C에 대하여 AC=BC면, A=B이다.

⑤ n이 홀수일 때, rank(A) 와 nullity(A)는 같지 않다.

Ans. ④

20한양

45) 행렬 $\begin{pmatrix} 1 & 2 & 3 & 4 & 5 \\ 2 & 4 & 6 & 8 & 10 \\ 3 & 6 & 9 & 12 & 15 \\ 4 & 8 & 12 & 16 & 20 \\ 5 & 10 & 15 & 20 & 25 \end{pmatrix}$의 서로 다른 고윳값의 개수를 a라 하고 서로 다른 고윳값의 합을 b라 할 때, $a+b$의 값은?

① 49 ② 51 ③ 53 ④ 55 ⑤ 57

$Ans.$⑤

20세종

46) 모든 성분이 실수인 2x2 대칭행렬A가 다음조건을 만족할 때 A의 행렬식의 값을 구하면?

A^2의 대각합=8 A^3의 대각합=0

① 2 ② -2 ③ 4 ④ -4 ⑤ 0

$Ans.$④

19성대

47) 행렬 $A=\begin{bmatrix}1&4\\2&3\end{bmatrix}$와 자연수 n에 대하여, A^n의 모든 성분의 합을 a_n이라고 할 때, $\sum_{n=1}^{\infty}\frac{1}{a_n}$의 값은?

① $\frac{1}{8}$ ② $\frac{1}{4}$ ③ $\frac{3}{8}$ ④ $\frac{1}{2}$ ⑤ $\frac{5}{8}$

$Ans.$①

03한양

48) $A=\begin{pmatrix}0&2\\\frac{1}{2}&0\end{pmatrix}$일 때, 극한 $\lim_{n\to\infty}\frac{1}{n}(A^1+A^2+\cdots+A^n)$은?

① $\begin{pmatrix}1&0\\0&1\end{pmatrix}$ ② $\begin{pmatrix}0&2\\\frac{1}{2}&0\end{pmatrix}$ ③ $\begin{pmatrix}\frac{1}{2}&1\\\frac{1}{4}&\frac{1}{2}\end{pmatrix}$ ④ $\begin{pmatrix}0&0\\0&0\end{pmatrix}$

$Ans.$③

02한양

49) 행렬 $A=\begin{pmatrix}0.8 & 0.2\\0.2 & 0.8\end{pmatrix}$이고, 벡터 $v_0=\begin{pmatrix}2\\1\end{pmatrix}$일 때, 수열 $\{v_k | v_k = Av_{k-1}, k=1,2,\cdots\}$의 극한 $\lim_{k\to\infty} v_k$은 얼마인가?

① $\begin{pmatrix}1\\0.6\end{pmatrix}$ ② $\begin{pmatrix}1.5\\1.5\end{pmatrix}$ ③ $\begin{pmatrix}0\\0\end{pmatrix}$ ④ $\begin{pmatrix}1\\1\end{pmatrix}$

Ans. ②

20세종

50) 행렬 A의 특성다항식은 $p_A(x)=(x+2)^8(x-4)^4(x-5)^2$이고 최소다항식은 $m_A(x)=(x+2)^3(x-4)^2(x-5)$이다. $rank(A+2I)=11$일 때, $rank(A+2I)^2$을 구하면?

① 6 ② 7 ③ 8 ④ 9 ⑤ 10

Ans. ③

19성대

51) 행렬 $A=\begin{bmatrix} 0&1&1&1 \\ 1&0&1&1 \\ 1&1&0&1 \\ 1&1&1&0 \end{bmatrix}$에 대하여, A^6의 대각합 $tr(A^6)$의 값은?

① 731 ② 732 ③ 733 ④ 734 ⑤ 735

$Ans.$ ②

19성대

52) 실수 성분을 갖는 행렬 A에 대하여 다음 중 옳지 않은 것은?

① A가 대칭행렬일 때, A의 열공간과 영공간은 서로 직교한다.

② 행렬 $A=\begin{bmatrix} 1&1 \\ 0&1 \end{bmatrix}$는 대각화가능하지 않다.

③ 행렬식 $Ax=b$의 해가 존재하지 않는다면, 행렬식 $Ax=0$은 자명해만을 가진다.

④ 가역행렬 A와 A^{-1}의 성분이 모두 정수라면, $\det(A)$의 값은 1 또는 -1이다.

⑤ A와 단위행렬 I가 서로 닮은 행렬이면, $A=I$이다.

$Ans.$ ③

17성대

53) 실수 성분을 갖는 $n \times n$ 행렬 A에 대하여 다음 중 옳지 않은 것은?

① A는 두 개의 가역행렬의 합으로 쓰일 수 있다.

② A가 대각화 가능하면, A와 닮은 대각행렬은 유일하다.

③ A와 닮은 모든 행렬의 고윳값은 같다.

④ 모든 $v \in R^n$에 대하여 $\| Av \| = \| v \|$ 이면 행렬방정식 $Ax = b$는 모든 $b \in R^n$ 에 대하여 유일한 해를 갖는다.

⑤ A가 대칭이라면, A의 모든 고윳값은 실수이다.

Ans. ②

17성대

54) 선형계 $\begin{bmatrix} 1 & 1 & 1 & 1 \\ 0 & 1 & 1 & 1 \end{bmatrix} \begin{bmatrix} x_1 \\ x_2 \\ x_3 \\ x_4 \end{bmatrix} = \begin{bmatrix} 0 \\ 0 \end{bmatrix}$ 의 해공간 $V \subset R^4$ 라고 하자. 두 벡터 $v \in V, w \in V^{\perp}$ 가 $v + w = (0,0,1,1)$ 을 만족할 때, 벡터 v는?

① $\left(\frac{1}{3}, 0, -\frac{2}{3}, \frac{1}{3}\right)$ ② $\left(0, \frac{1}{3}, -\frac{2}{3}, \frac{1}{3}\right)$ ③ $\left(-\frac{1}{3}, -\frac{2}{3}, 0, \frac{1}{3}\right)$

④ $\left(0, -\frac{2}{3}, \frac{1}{3}, \frac{1}{3}\right)$ ⑤ $\left(\frac{1}{3}, 0, -\frac{2}{3}, -\frac{1}{3}\right)$

Ans. ④

한양

55) $A=\begin{pmatrix} 2&0&0&0&0 \\ 0&2&1&0&0 \\ 0&0&2&0&0 \\ 0&0&0&3&1 \\ 0&0&0&0&3 \end{pmatrix}$ 과 단위행렬 I을 가지고 행렬 $B=(A-2I)^2(A-3I)^2$ 을 정의 할 때, 행렬 B의 $rank$는?

① 0 ② 2 ③ 3 ④ 45

Ans. ①

중대

56) 행렬 $J=\begin{pmatrix} 2&1&0&0&0 \\ 0&2&0&0&0 \\ 0&0&4&0&0 \\ 0&0&0&4&1 \\ 0&0&0&0&4 \end{pmatrix}$ 와 닮은 임의의행렬 A에 대한설명중 옳지 않은 것은?(단, I는 단위행렬)

1. A의 대각합은 16이다.
2. 행렬 $A-2I$의 해집합의차원은 1이다.
3. 행렬 $A-4I$의 해집합의차원은 3이다.
4. 행렬 $(A-4I)^2$의 계수는 2이다.

Ans. 3

18한양

57) 행렬 B는 행렬 $A=\begin{pmatrix} 3 & 1 & -5 \\ 0 & 2 & 6 \\ 0 & 0 & a \end{pmatrix}$의 닮은 행렬이고, 행렬 B의 고유다항식은 $f(x)=x^3+bx^2+cx-12$이다. 행렬 B의 최소다항식의 차수를 d라 할 때,

$a+b+c+d$의 값은?

① -2 ② 8 ③ 14 ④ 16

*Ans.*③

58) 행렬 $J=\begin{pmatrix} 2&1&0&0&0&0&0&0 \\ 0&2&0&0&0&0&0&0 \\ 0&0&2&1&0&0&0&0 \\ 0&0&0&2&1&0&0&0 \\ 0&0&0&0&2&0&0&0 \\ 0&0&0&0&0&3&0&0 \\ 0&0&0&0&0&0&3&0 \\ 0&0&0&0&0&0&0&3 \end{pmatrix}$와 닮은 임의의 행렬 A에 대한 다음 설명 중 옳지 않은 것은?

1. A의 일차독립인 고유벡터의 개수는 5개다.
2. 행렬 $(A-2I)^2$의 해집합의 차원은 4이다.
3. 행렬 $(A-2I)^3$의 해집합의 차원은 3이다.
4. $(J-2I)^3(J-3I)=0$

*Ans.*3

16성대

59) 실수 원소를 갖는 $n \times n$행렬을 A라 할 때, 다음 중 옳지 않은 것은?

① 모든 $v \in R^n$에 대하여 $\| Av \| = \| v \|$이면 행렬방정식 $Ax = b$는
모든 $v \in R^n$에 대하여 유일한 해를 갖는다.

② A가 가역행렬이면 A^T의 영공간의 차원은 0이다.

③ A와 닮은 모든 행렬의 고윳값은 같다.

④ A의 원소가 모두 양수이면 A는 적어도 한 개의 양수인 고윳값을 갖는다.

⑤ A의 계수는 A의 각 영 아닌 고윳값의 대수적 중복도의 합과 같다.

$Ans.$⑤

16한양

60) 실수체 R 위의 n 차 행렬 $A = (a_{ij})_{n \times n}$ 에서 주대각선 위의 성분의 합을 A 의 트레이스라 하고, 이것을 trA 로 나타낸다. 행렬 A 의 고유다항식을
$f(x) = x^n + a_{n-1}x^{n-1} + \cdots a_1 x + a_0$ 일 때, 다음 <보기>에서 옳은 것의 개수는?

<보기>

가. $a_{n-1} = -trA$

나. $a_0 = (-1)^n \det A$

다. A 가 중복을 허락하여 n 개의 고윳값 $\lambda_1, \cdots, \lambda_n \in R$을 가지면, $trA = \lambda_1 + \lambda_2 + \cdots + \lambda_n$

라. A가 중복을 허락하여 n개의 고윳값 $\lambda_1, \cdots, \lambda_n \in R$을 가지면, $\det A = \lambda_1 \lambda_2 \cdots \lambda_n$

① 1 ② 2 ③ 3 ④ 4

$Ans.$④

18중대(공대)

61) R^3의 부분공간 W는 두 벡터 $(1,1,2),(1,2,3)$의 일차결합으로 생성되는 평면이다. 벡터 $\vec{b}=(1,3,-2)$를 평면 W로 내린 정사영을 $proj_w(\vec{b})=(p_1,p_2,p_3)$라 할 때, $p_1+p_2+p_3$의 값은?

① -2 ② 0 ③ 3 ④ 5

Ans. ②

21경희

62) $A=\begin{bmatrix}\frac{20}{41} & \frac{21}{41}\\ \frac{21}{41} & \frac{20}{41}\end{bmatrix}$, $X=\begin{bmatrix}2\\1\end{bmatrix}$에 대해 $\lim_{n\to\infty}A^nX=\begin{bmatrix}a\\b\end{bmatrix}$일 때, $a-b$의 값은?

① 0 ② 1 ③ -1 ④ 2 ⑤ -2

21이대

63) 실수체 R위의 벡터공간 R^3의 기저(basis) $\{v_1, v_2, v_3\}$에 대하여 모든 성분이 실수인 3×3 행렬 A가 $(A-I)(v_1+v_2)=0$, $(A-2I)(v_2+v_3)=0$, $(A+4I)(v_3+v_1)=0$을 만족시킬 때 A 의 행렬식 (determinant) $\det(A)$의 값을 구하시오.
(단, I 는 3×3 단위행렬이다.)

16가천

64) 다음 보기에서 항상 옳은 것만을 있는 대로 고른 것은?

(ㄱ) 벡터공간 R^3의 두 벡터 $\vec{v}, \vec{w}$가 1차 독립이면 $\vec{v}, \vec{w}, \vec{v}\times\vec{w}$는 1차 독립이다. (단, $\times$는 벡터의 벡터적(외적)이다.)

(ㄴ) 벡터공간 R^3의 두 벡터 $\vec{v}, \vec{w}$ 1차 종속이면 $\vec{v}\times\vec{w}$는 영벡터이다.

(ㄷ) 벡터공간 R^3의 세 벡터 $\vec{v_1}, \vec{v_2}, \vec{v_3}$가 R^3의 기저이면 $\vec{v_1}-\vec{v_2}$, $\vec{v_1}+\vec{v_2}$, $\vec{v_2}+\vec{v_3}$는 R^3의 기저(basis)이다.

① ㄱ, ㄴ ② ㄴ, ㄷ ③ ㄱ, ㄷ ④ ㄱ, ㄴ, ㄷ

Ans. ④

15가천

65) 다음 보기에서 항상 옳은 것만을 있는 대로 고른 것은?

ㄱ. 벡터공간 R^3의 세벡터v_1, v_2, v_3가 1차 독립이면, $v_1+v_2, v_2+v_3, v_3+v_1$는 1차 독립이다.

ㄴ. 벡터공간 R^3의 세벡터 v_1, v_2, v_3가 1차 종속이면, v_1, v_2는 1차 종속이다.

ㄷ. 벡터공간 R^3의 세벡터 v_1, v_2, v_3가 1차 독립이면, $v_1, v_1+2v_2, v_1+2v_2+3v_3$는 R^3의 기저(basis)이다.

① ㄱ ② ㄴ ③ ㄷ ④ ㄱ, ㄷ

Ans.④

14경기

66) R^2의 부분공간에 대하여 올바르게 설명한 것은?

ㄱ. R^2의 부분공간은 $\{0\}$과 R^2뿐이다.

ㄴ. R^2의 부분공간은 $\{0\}$, R과 R^2뿐이다.

ㄷ. R^2의 부분공간은 $\{0\}$과 R^2 그리고 R^2의 모든 직선뿐이다.

ㄹ. R^2의 부분공간은 $\{0\}$과 R^2 그리고 R^2의 원점을 지나는 모든 직선뿐이다.

Ans. ㄹ

17단국

67) 3×3 행렬 A가 다음을 만족시킨다.

$$A\begin{pmatrix} 1 \\ -2 \\ 0 \end{pmatrix}=\begin{pmatrix} -1 \\ 2 \\ 0 \end{pmatrix},\ A\begin{pmatrix} 0 \\ 2 \\ -1 \end{pmatrix}=\begin{pmatrix} 0 \\ -4 \\ 2 \end{pmatrix},\ A\begin{pmatrix} 1 \\ 0 \\ 2 \end{pmatrix}=\begin{pmatrix} 0 \\ 0 \\ 0 \end{pmatrix}$$

행렬 A^2-A+E의 모든고윳값의 합은? (단, E는 3×3 항등행렬이다.)

① -3 ② 3 ③ 7 ④ 11

Ans. ④

68) $m \times n$행렬 A의 계급수($rank$)가 r일 때, 다음 중 옳지 않은 것은?

① $r=m$이면 모든 $b \in R^m$에 대하여 방정식 $Ax=b$는 해를 갖는다.

② $r=n$이면 방정식 $Ax=b$는 기껏해야 하나의 해를 갖는다.

③ A의 행공간($row\ space$)의 직교여공간($orthogonal\,complement$)은 A의 영공간($null\ space$)이다.

④ A의 열공간($column\ space$)의 차원은 r이다.

⑤ A의 영공간의 차원은 $m-r$이다.

Ans. ⑤

18에리카

69) 정사각행렬 A와 실수 a, b, c가 <다음>을 만족시킬 때, $a+b+c$의 값은?
(단, I는 단위행렬, O는 영행렬)

<다음>

가. I, A, A^2은 1차 독립이다.
나. $A^3 = O$
다. $(A+2I)(aA^2+bA+cI) = I$

① $\frac{1}{8}$ ② $\frac{3}{8}$ ③ $\frac{5}{8}$ ④ $\frac{7}{8}$

Ans. ②

21과기대

70) 아래의 행렬 A에 대하여 A^{2021}의 모든 성분의 합은?

$$\begin{bmatrix} -1 & 2 & 0 \\ 2 & -1 & 0 \\ 0 & 0 & -1 \end{bmatrix}$$

① 1 ② 3 ③ 5 ④ 10

21한양

71) 두 행렬 $A=\begin{pmatrix} 3&0&0&0 \\ 1&3&0&0 \\ 0&0&3&2 \\ 0&0&0&3 \end{pmatrix}, B=\begin{pmatrix} 3&0&0&0 \\ 5&3&0&0 \\ 0&0&3&0 \\ 0&0&0&3 \end{pmatrix}$의 특성다항식(characteristic polynomial)을 각각 $f_A(x), f_B(x)$, 최소다항식(minimal polynomial)을 각각 $m_A(x), m_B(x)$라 하자. <보기>에서 옳은 것만을 있는대로 고른 것은?

<보기>

ㄱ. $f_A(x)=f_B(x)$

ㄴ. $m_A(x)=m_B(x)$

ㄷ. A와 B는 닮은 행렬(similar matrix) 이다.

ㄹ. $f_A(x)=m_B(x)g(x)$인 실수 계수 다항식 $g(x)$가 존재한다.

① ㄱ ② ㄱ, ㄹ ③ ㄴ, ㄹ ④ ㄱ, ㄴ, ㄹ ⑤ ㄱ, ㄴ, ㄷ, ㄹ,

*지수행렬 : 주어진 스칼라 a에 대해 지수함수 e^a는 멱급수로 다음과 같이 표현된다.

$$e^a = \sum_{k=0}^{\infty} \frac{1}{k!} a^k = 1 + a + \frac{1}{2!} a^2 + \cdots$$

이와 유사하게 $n \times n$정사각행렬 A에 대해 행렬지수 e^A를 다음과 같이 수렴하는 멱급수의 형태로정의한다.

$$e^A = \sum_{k=0}^{\infty} \frac{1}{k!} A^k = I_n + A + \frac{1}{2!} A^2 + \frac{1}{3!} A^3 + \cdots$$

1) $A = \begin{pmatrix} -2 & 4 \\ -1 & 3 \end{pmatrix}$일 때, 지수 행렬 $e^{2A} = \sum_{k=0}^{\infty} \frac{(2A)^k}{k!}$를 구하면?

① $\begin{pmatrix} 1 & 0 \\ 0 & 1 \end{pmatrix}$

② $\begin{pmatrix} -\frac{1}{3}e^4 + \frac{4}{3}e^{-2} & \frac{4}{3}e^4 - \frac{4}{3}e^{-2} \\ -\frac{1}{3}e^4 + \frac{1}{3}e^{-2} & \frac{4}{3}e^4 - \frac{1}{3}e^{-2} \end{pmatrix}$

③ $\begin{pmatrix} -\frac{1}{3}e^4 - \frac{4}{3}e^{-2} & \frac{4}{3}e^4 - \frac{4}{3}e^{-2} \\ -\frac{1}{3}e^4 - \frac{1}{3}e^{-2} & \frac{4}{3}e^4 - \frac{1}{3}e^{-2} \end{pmatrix}$

④ $\begin{pmatrix} -\frac{1}{3}e^4 - \frac{4}{3}e^{-2} & \frac{4}{3}e^4 + \frac{4}{3}e^{-2} \\ -\frac{1}{3}e^4 - \frac{1}{3}e^{-2} & \frac{4}{3}e^4 + \frac{1}{3}e^{-2} \end{pmatrix}$

Ans. ②

19에리카

2) 행렬 $A=\begin{bmatrix}1 & 2\\ -1 & -2\end{bmatrix}$에 대하여 e^A은?

① $\begin{bmatrix}e^{-1} & 2e^{-1}\\ -e^{-1} & -2e^{-1}\end{bmatrix}$ ② $\begin{bmatrix}-e^{-1} & -2e^{-1}\\ e^{-1} & 2e^{-1}\end{bmatrix}$ ③ $\begin{bmatrix}2+e^{-1} & 2+2e^{-1}\\ -1-e^{-1} & -1-2e^{-1}\end{bmatrix}$ ④ $\begin{bmatrix}2-e^{-1} & 2-2e^{-1}\\ -1+e^{-1} & -1+2e^{-1}\end{bmatrix}$

Ans. ④

18중대

3) 행렬 $A=\begin{pmatrix}1 & 2 & 6 & 9\\ 0 & 3 & 0 & 0\\ 0 & 4 & 7 & 0\\ 0 & 5 & 8 & 10\end{pmatrix}$ 에 대하여

$e^A=\lim_{n\to\infty}(I+A+\frac{1}{2!}A^2+\dots+\frac{1}{n!}A^n)$으로 정의할 때 , e^A의 행렬식의 값은?

①21 ② 210 ③e^{21} ④ e^{210}

Ans. ③

* $|A|\neq 0$정리
⇔가역행렬
⇔역행렬이 존재
⇔$rank(A)=n$
⇔A의 행과 열벡터들이 일차독립이다.
⇔고유치 $\lambda\neq 0$
⇔$nullity(A)=0$
⇔비제차 연립방정식 $AX=B$는 유일해 $X=A^{-1}B$를 갖는다.
⇔ 제차 연립방정식 $AX=0$는 자명한 $X=0$만을 갖는다.

* 직교집합(orthonormal set)
: R^n 상에 속하는 벡터집합에 대하여 그 집합에 속하는 서로 다른 임의의 두 벡터가 모두 직교하는 집합

* 정규직교집합
: 단위벡터만으로 구성되는 직교집합

*정규화(*Normalizing*)과정
: 0이 아닌 벡터를 단위벡터로 만드는 과정

* *Gram − Schmidt process* (그램 − 슈미트 과정)
: 임의의 기저를 정사영벡터를 이용하여 수직기저로 바꾸는 과정

$V=\{v_1,v_2,\cdots,v_n\}$를 R^n의 부분공간의 기저라 하고 V의 직교기저를 $\{u_1,u_2,\cdots,u_n\}$라 하면

① $u_1=v_1$

② $u_2=v_2-\dfrac{(v_2\cdot u_1)}{u_1\cdot u_1}u_1$

③ $u_3=v_3-\dfrac{(v_3\cdot u_1)}{(u_1\cdot u_1)}u_1-\dfrac{(v_3\cdot u_2)}{(u_2\cdot u_2)}u_2$

④ $u_n=v_n-\dfrac{(v_n\cdot u_1)}{(u_1\cdot u_1)}u_1-\cdots-\dfrac{(v_n\cdot u_{n-1})}{(u_{n-1}\cdot u_{n-1})}u_{n-1}$

그램 − 슈미트과정이라 한다.

* W를 내적공간 V의 유한차원 부분공간이라 할때, $\{v_1,v_2,\cdots,v_n\}$이 W의 직교기저이고 u가 V의 임의의 벡터이면 $proj_w u=\dfrac{u\cdot v_1}{v_1\cdot v_1}v_1+\dfrac{u\cdot v_2}{v_2\cdot v_2}v_2+\cdots+\dfrac{u\cdot v_n}{v_n\cdot v_n}v_n$(계수 빠르게 구할때)

* 벡터공간 W의
정규직교기저 $\{v_1,v_2,\cdots,v_n\}$에 대해 $w\in W$은 $w=(w\cdot v_1)v_1+(w\cdot v_2)v_2+\cdots+(w\cdot v_n)v_n$이 된다.

13한양

1) 벡터 $u=(-2,1,3)$을 실공간 R^3의 직교기저 $B=\{(1,0,1),(1,1,-1),(-1,2,1)\}$을 정규화한 정규직교기저의 일차결합으로 나타낼 때 계수들의 곱은?

$Ans.\ -14/3$

17국민

2) R^4의 $(1,1,1,1)$, $(1,2,2,2)$, $(1,2,3,3)$으로 생성되는 부분공간의 직교기저(orthogonal basis)는?

① $\{(1,1,1,1),(-3,1,1,1),(0,-2,1,1)\}$
② $\{(1,1,1,1),(-3,1,1,1),(0,-2,-1,2)\}$
③ $\{(1,1,1,1),(-1,-1,1,1),(0,0,-1,1)\}$
④ $\{(0,1,1,1),(0,-2,1,1),(0,0,-1,1)\}$

$Ans.$ ①

12성대

3) 3차원 공간에서 세 개의 벡터 $\overrightarrow{v_1}=(2,1,0), \overrightarrow{v_2}=(0,2,2), \overrightarrow{v_3}=(0,0,3)$으로 이루어진 기저 $\{\overrightarrow{v_1}, \overrightarrow{v_2}, \overrightarrow{v_3}\}$으로부터 그람-슈밋트 직교화 과정 (Gram-Schmidt Orthogonalization Process)을 거쳐 만들어진 직교기저 $\{\overrightarrow{w_1}, \overrightarrow{w_2}, \overrightarrow{w_3}\}$에 대하여 $\|\overrightarrow{w_1}\| \|\overrightarrow{w_2}\| \|\overrightarrow{w_3}\|$의 값은? (단, $\|\overrightarrow{w}\|$은 벡터 $\overrightarrow{w}$의 길이이다.)

① 6　② 8　③ 10　④ 12

Ans. ④

15홍대

4) 집합 $U=\left\{u_1=\frac{1}{\sqrt{3}}(1,1,1), u_2, u_3=\frac{1}{\sqrt{2}}(0,1,-1)\right\}$이 R^3의 정규직교기저일 때, 벡터 $v=(1,1,-1)$을 U에서 좌표로 표현한 것을 구하시오.

① $(1,1,1)$　② $\frac{1}{\sqrt{3}}(1, \sqrt{2}, \sqrt{6})$　③ $(1,-1,1)$　④ $\frac{3}{\sqrt{8}}(1,1,\sqrt{6})$

Ans. ②

15한양

5) R^3 의 기저 {(1, 0, 1), (0, 1, 2), (2, 1, 0)} 을 Gram−Schmidt 과정에 의해 직교기저로 옮길 때, 아래에서 직교기저의 원소가 될 수 있는 것의 개수는?

ㄱ. (1, 0, 1)　ㄴ. (−1, 1, 1)　ㄷ. (1, 2, −1)　ㄹ. (−1, −2, 1)

① 1　② 2　③ 3　④ 4

Ans. ④

14항공

6) 세 개의 벡터 $v_1=(1,1,1), v_2=(2,0,1), v_3=(2,4,5)$는 3차원 공간 R^3의 기저(basis)이다. $\{v_1, v_2, v_3\}$에 그램−슈밋트 직교화 과정(Gram−Schmidt Orthogonalization Process)을 적용 하여 만들어진 직교기저를 $w_1=(1,1,1), w_2=(1,a,b), w_3=\left(c,d,\frac{4}{3}\right)$라고 할 때, $|w_2|$와 $|w_3|$의 곱인 $|w_2||w_3|$의 값은? (단, $|w_2|$, $|w_3|$는 w_2와 w_3의 길이이다.)

① $\frac{2}{3}\sqrt{10}$　② $\frac{2}{3}\sqrt{11}$　③ $\frac{2}{3}\sqrt{12}$　④ $\frac{2}{3}\sqrt{13}$

Ans. ③

18한양

7) 벡터 $v_1 = \frac{1}{2}(\sqrt{2},1,1), v_2 = (0,1,-1)$ 과 적당한 실수 k와 벡터 v_3 에 대하여, 집합 $\{v_1, kv_2, v_3\}$ 은 벡터공간 R^3의 정규직교기저 이다. 벡터 $v = (\sqrt{2},1,-5)$ 는 $v = c_1v_1 + c_2(kv_2) + c_3v_3$ 을 만족할 때, $2c_1 + \sqrt{2}c_2$ 의 값은?

① -4 ② -2 ③ 2 ④ 4

Ans. ④

중대

8) $P_2(R)$을 실수계수를 가지며 차수가 2차 이하인 다항식으로 이루어진 벡터공간이라 하고, 내적을 $\langle f, g\rangle = \int_0^1 f(x)g(x)\,dx\,(f, g \in P_2(R))$이라 정의 한다. 기저$\{1, x, x^2\}$로부터 그램-슈미트 직교화 과정 (Gram-Schmidt Orthogonalization)을 거쳐 만들어진 직교기저 $\{1, x+a, x^2+bx+c\}$일 때, $a+b+c$의 값은?

① $\frac{3}{2}$　② $\frac{4}{3}$　③ $-\frac{5}{2}$　④ $-\frac{4}{3}$

Ans. ④

*R^2의 이차형식 : $ax^2+bxy+cy^2=(x\ y)\begin{pmatrix} a & \frac{b}{2} \\ \frac{b}{2} & c \end{pmatrix}\begin{pmatrix} x \\ y \end{pmatrix}=v^TAv$

$ax^2+bxy+cy^2=d$, 대칭행렬 $A=\begin{pmatrix} a & \frac{b}{2} \\ \frac{b}{2} & c \end{pmatrix}$ 일때

$(d \neq 0)$
① $|A|>0$: 타원,원,퇴화된 원추곡선
② $|A|<0$: 쌍곡선
③ $|A|=0$: 포물선

$(d=0)$
① $|A|=0$이면 하나의 직선
② $|A| \neq 0$이면 두 개의 직선

*R^3의 이차형식
$a_1x_1^2+a_2x_2^2+a_3x_3^2+2a_4x_1x_2+2a_5x_1x_3+2a_6x_2x_3$

$\Leftrightarrow (x_1\ x_2\ x_3)\begin{pmatrix} a_1 & a_4 & a_5 \\ a_4 & a_2 & a_6 \\ a_5 & a_6 & a_3 \end{pmatrix}\begin{pmatrix} x_1 \\ x_2 \\ x_3 \end{pmatrix}=x^TAx$

1) $x^2+y^2=1$일 때, x^2+y^2+4xy의 최대최소는?
$Ans. 3, -1$

2) $x_1^2+x_2^2=1$일 때, $3x_1^2+3x_2^2+2x_1x_2$의 최댓값은?
$Ans. 4$

3) $A=\begin{pmatrix} 1 & 0 & -1 \\ 0 & 1 & 0 \\ -1 & 0 & 1 \end{pmatrix}$과 0벡터가 아닌 벡터 $v \in R^3$에 대해 $R(v)=\dfrac{v^tAv}{v^tv}$의 최댓값은?

$Ans.2$

4) 단위 구 $x^2+y^2+z^2=1$ 위에서 이차형식($quadratic$ form)

$f(x,y,z)=x^2+2y^2+z^2+2xy-2yz$의 최댓값을 M, 최솟값을 m이라고 할 때, $M+m$의 값은?

① 2 ② 3 ③ 4 ④ 5

$Ans.$②

5) $\sum_{i=1}^{3}(x_i-\overline{x})^2 = x^TAx$, 여기서, $x^T=(x_1,x_2,x_3)$, A는 대칭행렬이다. 이때, 대칭행렬 A의 트레이스(trace)는 얼마인가? (단, $\overline{x}=\frac{1}{3}(x_1+x_2+x_3)$, 트레이스는 주 대각선 원소의 합)

① 3 ② 2 ③ 4 ④ $\frac{3}{2}$

Ans. ②

6) 구 $x^2+y^2+z^2=1$ 위의 점에서 $f(x,y,z)=2x^2+3y^2+3z^2-2xy-2xz$의 최댓값과 최솟값을 구하고 최댓값과 최솟값을 만족하는 점을 구하라.

7) 원뿔 곡선 $5x^2-4xy+8y^2-36=0$ 의 장축의 길이는?

① 4 ② 6 ③ 8 ④ 10

Ans. ②

15한양

8) 다항식 $2xy\ +2xz$를 대각화해서 나타낸 이차형식은?

① $\sqrt{2}t_2^2-\sqrt{2}t_3^2$ ② $\sqrt{2}t_2^2+\sqrt{2}t_3^2$ ③ $2\sqrt{2}t_2^2-2\sqrt{2}t_3^2$ ④ $2\sqrt{2}t_2^2+2\sqrt{2}t_3^2$

Ans. ①

18숙대

9) 구면 $x^2+y^2+z^2=1$위의 점으로써 함수 $f(x,y,z)=yz+zx+1$의 최댓값을 M, 최솟값을 m이라고 할 때, $M+m$의 값은?

① 1 ② 2 ③ 4 ④ 8 ⑤ 16

*Ans.*②

*양정치 : 2차형식 $v^TAv>0$일 때, 즉 고유치가 모두 양수일 때 양정치라 하고, A를 양정치 행렬이라 한다.(단, $v \neq 0$)

$$ax^2+ay^2+2bxy$$
$$=(x\ y)\begin{pmatrix} a & b \\ b & a \end{pmatrix}\begin{pmatrix} x \\ y \end{pmatrix} > 0$$
$$=v^tAv > 0$$

①대칭행렬 A가 양정치 행렬이기 위해서는 A의 모든 고유치가 양수($\lambda \neq 0$)이어야 한다.

②대칭행렬 A가 양정치면 A의 모든 주부분행렬식이 양수이다.
→A의 모든 고유치가 양수이기 위해서는 A의 모든 주부분행렬식이 양수이어야 한다.

1) $A=\begin{pmatrix} 1 & 5 & -1 \\ 5 & k & 0 \\ -1 & 0 & 3 \end{pmatrix}$의 모든 고유치가 양수가 되는 범위를 구하시오.

$Ans.\ k>\dfrac{75}{2}$

19항공

2) 어떤 행렬 A의 고유벡터(eigenvector)와 고윳값(eigenvalue)이 각각
$\overrightarrow{u_1}=\begin{Bmatrix}1\\3\end{Bmatrix}, \overrightarrow{u_2}=\begin{Bmatrix}-3\\1\end{Bmatrix}$와 $\lambda_1=5, \lambda_2=-2$ 라고 한다. 또한, 임의의 실수로 이루어진 2×1 벡터를 $\vec{v}$라 할 때, s를 아래와 같이 정의하자.

$$s=\{\vec{v}\}^T\{A\}\{\vec{v}\}$$

다음 중 참인 것을 모두 포함하는 집합은?

가) A의 모든 원소들의 합은 7.2이다.

나) A의 모든 원소들의 합은 9.6이다.

다) s는 $\vec{v}$에 상관없이 항상 양수이다.

라) s는 $\vec{v}$에 상관없이 항상 음수이다.

마) s는 $\vec{v}$에 따라 양수일 수도 있고, 음수일 수도 있다.

① 가, 라 ② 가, 마 ③ 나, 다 ④ 나, 라

$Ans.$ ②

*선형변환(사상)
: V의 각 원소에 대하여 W의 한 원소를 대응시키는것(V, W는 벡터공간)
이며 $T: V\to W$으로 표현하며 아래 두 조건을 만족해야만 한다.

① $T(u+v)=T(u)+T(v)$ $(u,v\in V)$
② $T(cv)=cT(v)$ (c는 실수, $v\in V$)

*표현행렬(행렬표현)
선형사상 $T: V\to W$에 대해서 (V의 기저 $\alpha=\{v_1,v_2,\cdots,v_n\}$, W의 기저 $\beta=\{w_1,w_2,\cdots,w_n\}$)
$T(v_1),\cdots,T(v_n)$은 $w_1,\cdots,w_m$의 일차결합으로 표현된다

$T(v_1)=a_{11}w_1+a_{21}w_2+\cdots+a_{m1}w_m$
$T(v_2)=a_{12}w_1+a_{22}w_2+\cdots+a_{m2}w_m$
$\vdots$
$T(v_n)=a_{1n}w_1+a_{2n}w_2+\cdots+a_{mn}w_m$ 로 표현할때 좌표벡터를 행렬로 표현하면

$\begin{pmatrix} a_{11} & a_{21} & \cdots & a_{m1} \\ a_{12} & a_{22} & \cdots & a_{m2} \\ \vdots & \vdots & \vdots & \vdots \\ a_{1n} & a_{2n} & \cdots & a_{mn} \end{pmatrix}$이 되며 이 행렬의 전치행렬이 $[T]_\alpha^\beta=\begin{pmatrix} a_{11} & a_{12} & \cdots & a_{1n} \\ a_{21} & a_{22} & \cdots & a_{2n} \\ \vdots & \vdots & \vdots & \vdots \\ a_{m1} & a_{m2} & \cdots & a_{mn} \end{pmatrix}$가 표현행렬이다.

*회전이동에 의한 변환(사상)
점$P(x,y)$를 원점을 중심으로 각의 크기 θ만큼 회전하여 $P'(x',y')$를 얻는다.

회전이동행렬 : $A=\begin{pmatrix} \cos\theta & -\sin\theta \\ \sin\theta & \cos\theta \end{pmatrix}$, $A^n=\begin{pmatrix} \cos n\theta & -\sin n\theta \\ \sin n\theta & \cos n\theta \end{pmatrix}$

1) 사상 $T: R^2\to R^2$, $T(x,y)=(x+2y,2x+y)$ 선형사상임을 보이시오.

2) 선형사상 $L: R^2 \to R^3$에서 $L(1,0)=(1,0,2)$, $L(1,-1)=(-1,1,-1)$일 때
$L(7,3)=?$
$Ans.(13,-3,23)$

3) 선형변환 $L: R^3 \to R^2$에서 $L\{(1,0,2)\}=(1,0)$이고, $L\{(-1,1,-1)\}=(1,-1)$일 때,
$L\{(3,1,7)\}$의 값은?
① (3,1) ② (5,7) ③ (7,3) ④ (5,−1)
$Ans.$④

16중대
4) 일차변환 $T: R^2 \to R^3$이 $T(1,1)=(1,0,2)$와 $T(2,3)=(1,-1,4)$를 만족할 때 $T(8,11)=(a,b,c)$라 하면 $a+b+c$의 값은?
$Ans.18$

17경기

5) $v_1 = (1,1,1), v_2 = (1,1,0), v_3 = (1,0,0)$이고 선형변환 (linear transformation) $L : R^3 \to R^2$가 $L(v_1) = (1,0)$, $L(v_2) = (2,-1)$, $L(v_3) = (4,3)$을 만족할 때, $L(4,2,4)$는?

① $(4,4)$ ② $(4,-4)$ ③ $(8,8)$ ④ $(8,-8)$

Ans. ③

18서강

6) 선형변환 $T : R^3 \to R^3$ 에 대하여 $T(1,2,3) = (1,0,0)$, $T(2,3,4) = (1,1,0)$, $T(3,5,6) = (1,1,1)$ 이라고 하자. $T(1,3,7) = (a,b,c)$ 라 할 때, abc의 값은?

① -12 ② -10 ③ 0 ④ 8 ⑤ 56

Ans. ④

17광운

7) 일차 변환 $T: R^3 \to R^2$에 대해 다음이 성립한다. 이 때, $T(2x_1, -x_2, x_3)$는?

$$T(1,0,0) = (2,1)$$
$$T(2,1,0) = (2,1)$$
$$T(1,-1,-1) = (5,2)$$

① $(4x_1 + 2x_2, 2x_1 - x_2)$ ② $(2x_2 - x_3, x_1 + x_2)$ ③ $(x_1 - x_2 + 2, 2x_3 + 1)$

④ $(4x_1 - 2x_2 - x_3, x_1 - x_3)$ ⑤ $(4x_1 + 2x_2 - x_3, 2x_1 + x_2)$

$Ans.$ ⑤

16한양

8) 벡터공간 R^3 위에 기저 $B = (1,0,0), (2,1,0), (1,-1,1)$ 가 있다. 선형사상 $T: R^3 \to R^2$ 이 $T(1,0,0) = (1,2)$, $T(2,1,0) = (1,2)$, $T(1,-1,1) = (2,5)$를 만족할 때, $T(x_1, x_2, x_3)$ 은?

① $(x_1 + x_2, 2x_1 + 2x_2 + x_3)$ ② $(x_1 - x_2, 2x_1 - 2x_2 + x_3)$

③ $(x_1 + x_2 + 2x_3, 2x_1 + 2x_2 + 5x_3)$ ④ $(x_1 - x_2 + 2x_3, 2x_1 - 2x_2 + 5x_3)$

$Ans.$ ②

17단국

9) 실수체 R위의 벡터공간 $P_2=\{a+bx+cx^2|a,b,c\in R\}$에 대하여 선형변환 $T: P_2\to P_2$가 다음을 만족시킨다.

$$T(x-x^2)=1+x$$
$$T(1-x\ )=x+x^2$$
$$T(1+x^2)=1+x^2$$

$T(5-4x+3x^2)=a+bx+cx^2$일 때, $a+b+c$의 값은?

① 4 ② 6 ③ 8 ④ 103

Ans. ③

19항공

10) 선형변환 $T: R^3\to R^3$에 대하여,

$T(1,2,3)=(1,0,-1)$, $T(2,3,4)=(1,2,1)$, $T(1,3,1)=(-2,5,3)$이라고 한다.

$T(1,1,1)=(a,b,c)$라 할 때, $a+b+c$의 값은?

① 0 ② 2 ③ 4 ④ 8

Ans. ③

중앙

11) 선형사상(일차변환) $T: R^3 \to R^2$가 다음과 같이 정의되었다고 하자.
$T(x,y,z)=(2x+3y-4z, x-5y+z)$
이 때, R^3의 순서기저 $E_1=\{(1,1,1),(1,1,0),(1,0,0)\}$와 R^2의 순서기저 $E_2=\{(1,1),(0,1)\}$에 관한 T의 표현행렬을 구하여라.

① $\begin{pmatrix} 2 & 3 & -4 \\ 1 & -5 & 1 \end{pmatrix}$ ② $\begin{pmatrix} 1 & 5 & 2 \\ -3 & -4 & 1 \end{pmatrix}$ ③ $\begin{pmatrix} 2 & 3 & -4 \\ 1 & -2 & 5 \end{pmatrix}$ ④ $\begin{pmatrix} 1 & 5 & 2 \\ -4 & -9 & -1 \end{pmatrix}$

$Ans.$④

에리카

12) 선형변환 $T: R^2 \to R^2$를 $T\left(\begin{bmatrix} x \\ y \end{bmatrix}\right)=\begin{bmatrix} 2x-y \\ y \end{bmatrix}$라 정의하고, $B=\left\{u_1=\begin{bmatrix} 1 \\ 1 \end{bmatrix}, u_2=\begin{bmatrix} 1 \\ -1 \end{bmatrix}\right\}$를 R^2의 순서기저(ordered basis)라 할 때, B에 대한 선형변환 T의 변환행렬 $[T]_B$는?

① $\begin{pmatrix} 1 & 1 \\ 0 & 2 \end{pmatrix}$ ② $\begin{pmatrix} 1 & 1 \\ 2 & 0 \end{pmatrix}$ ③ $\begin{pmatrix} 1 & 3 \\ 1 & -1 \end{pmatrix}$ ④ $\begin{pmatrix} 3 & 1 \\ -1 & 1 \end{pmatrix}$

$Ans.$①

과기대

13) 선형변환 $F\begin{pmatrix} x_1 \\ x_2 \\ x_3 \end{pmatrix} = \begin{pmatrix} x_1 - 4x_2 + 2x_3 \\ x_2 + x_3 \end{pmatrix}$일 때, $F(x) = Ax$가 되는 행렬 A는? $\left(단, x = \begin{pmatrix} x_1 \\ x_2 \\ x_3 \end{pmatrix} 이다. \right)$

① $\begin{pmatrix} 1 & -2 \\ 0 & -1 \\ 1 & -4 \end{pmatrix}$ ② $\begin{pmatrix} 1 & 0 & 1 \\ -2 & -1 & -4 \end{pmatrix}$ ③ $\begin{pmatrix} 1 & -4 & 2 \\ 0 & 1 & 1 \end{pmatrix}$ ④ $\begin{pmatrix} 0 & -2 \\ 1 & 3 \\ 1 & -4 \end{pmatrix}$

Ans. ③

14성대

14) 벡터 $x = (x_1, x_2)^T$에 대하여 $L(x) = (x_1 + x_2, x_1, 2x_1 - x_2)^T$로 정의된 선형변환 $L : R^2 \to R^3$를 고려하자. 아래의 순서기저(Ordered Basis) $[u_1, u_2], [v_1, v_2, v_3], u_1 = (1, 2)^T$, $u_2 = (1, -1)^T, v_1 = (1, 0, 0)^T, v_2 = (1, 1, 0)^T, v_3 = (1, 1, 1)^T$에 관한 L의 행렬을 A라 할 때, A의 모든 원소의 합은?

① 0 ② 1 ③ 2 ④ 3 ⑤ 4

*Ans.*④

15단국

15) 선형변환 $T: R^3 \to R^3$가 $T(x,y,z)=(x+2y+z,\, x+5y,\, z)$로 주어져 있다. R^3의 순서기저 $B=\{(0,1,1),(1,0,1),(1,1,0)\}$에 대한 T의 행렬표현이 $[T]_B^B=\begin{pmatrix} a_{11} & a_{12} & a_{13} \\ a_{21} & a_{22} & a_{23} \\ a_{31} & a_{32} & a_{33} \end{pmatrix}$일 때, $a_{11}+a_{33}$의 값은?

① 0 ② 4 ③ 6 ④ 9

16성대

16) 벡터공간 V의 순서기저(Ordered Basis) $[b_1, b_2, b_3]$에 관한 선형변환 $T: V \to V$의 행렬이 $\begin{pmatrix} 2 & -1 & 3 \\ 0 & 2 & 4 \\ 5 & 3 & 6 \end{pmatrix}$일 때 $T(3b_1-2b_2)$는?

① $6b_1-7b_2+b_3$ ② $8b_1-4b_2+9b_3$ ③ $7b_1+2b_2+9b_3$ ④ $5b_1-3b_2+6b_3$ ⑤ $2b_1+b_2+7b_3$

15한양

17) $T(x_1, x_2, x_3) = (2x_1 - x_2 + 2x_3, x_1 + x_2, 3x_1 - x_2 - x_3)$ 으로 정의되는

선형사상 $T: R^3 \to R^3$ 에 대하여,

순서기저 $B = (1,0,0), (1,1,1), (1,-1,1)$, $C = (1,1,2), (1,2,1), (2,1,1)$ 에 관한 선형사상 T의 행렬표현 $R_{B,C} = (r_{ij})_{3\times 3}$에서 $r_{11} + r_{12} + r_{21} + r_{22}$ 의 값은?

① $-\frac{1}{2}$　② 0　③ $\frac{1}{2}$　④ 1

Ans. ④

17세종

18) 벡터공간 $V = \{ax^2 + bx + c \mid a,b,c \in R\}$ 에 대하여,

선형사상$L: V \to V$는 $L(p(x)) = x^2 p(1 - \frac{1}{x})$로 정의된다. 선형사상 L의 대각합 $tr(L)$의 값을 구하면?

① 0　② 1　③ 2　④ 3　⑤ 4

중앙

19) $\alpha=\{(0,1,1),(1,0,1),(1,1,0)\}, \beta=\{w_1,w_2,w_3\}$를 R^3의 순서기저라 하자.
선형변환 $T: R^3 \to R^3$의 α,β에 관한 표현행렬이 $[T]_\alpha^\beta=\begin{pmatrix} 0 & 1 & 1 \\ 1 & 2 & 7 \\ -2 & 6 & 0 \end{pmatrix}$와 같을때 $T(2,3,1)$의 값은?

①$4w_1+15w_2+14w_3$ ② $-4w_1+13w_2+w_3$ ③ $2w_1+15w_2-2w_3$ ④ w_1+2w_3

*Ans.*③

중앙

20) 차수가 2차이하이고 실수 계수를 갖는 다항식의 벡터공간을 $P_2(R)$이라 하자.
선형변환 $S: P_2(R) \to P_2(R)$를 임의의 $p \in P_2(R)$에 대하여 $S(p(t))=p(1)+p(0)t+p(-1)t^2$ 이라고 정의할 때, S의 고윳값이 아닌 것은?

① -1 ② $\dfrac{1+\sqrt{2}}{2}$ ③ 1 ④ 2

*Ans.*②

중앙

21) 차수가 2차 이하이고 실수 계수를 갖는 다항식들의 벡터공간을 $P_2(R)$이라 하자. 선형변환 $T(f(x)) = xf'(x) + f(1)x + f(2)$로 주어질 때 T의 고윳값이 아닌 것은?

① 0 ② 1 ③ 2 ④ 3
*Ans.*②

16중대

22) 벡터공간 V의 기저 $\{b_1, b_2, b_3\}$에 대하여 일차변환 $T: V \to V$의 행렬표현이 $\begin{pmatrix} 0 & -6 & 1 \\ 0 & 5 & -1 \\ 1 & -2 & 7 \end{pmatrix}$이라 하고, $T(3b_1 - 4b_2) = xb_1 + yb_2 + zb_3$라 하자. $x+y+z$의 값은?
*Ans.*15

18성대

23) 벡터공간 V는 실수 성분을 갖는 모든 2×2 행렬의 집합일 때, 행렬 $M=\begin{bmatrix} 2 & -1 \\ 3 & 1 \end{bmatrix}$ 에 대하여 선형변환 $T: V \to V$를 $T(A)=MA$ 로 정의하자. 이 때, T의 trace 의 값은?

① 6 ② 7 ③ 8 ④ 9 ⑤ 10

Ans. ①

17항공

24) 선형변환 $T: R^3 \to R^3$는

$T(x,y,z)=(x+2y-2z, x+2y+z, -x-y)$와 같이 정의되고, T^{-1}는 선형변환 T의 역변환일 때, 벡터 $T^{-1}(1,2,3)$의 모든 성분의 합은?

① $\frac{8}{3}$ ② -3 ③ 3 ④ $-\frac{8}{3}$

Ans. ④

20한양

25) 차수가 2보다 작거나 같은 다항식들의 벡터공간 P_2에 대하여 P_2에서 P_2로의 선형사상 T를 $T(f)=f'+f''$이라 하자. P_2의 기저 $B=\{1,x,x^2\}$에 대한 T의 행렬표현을 A라 할 때, A의 모든 성분들의 합은?
(단, f', f''은 각각 f의 도함수와 이계도함수이다.)

① 1 ② 2 ③ 3 ④ 4 ⑤ 5

Ans. ⑤

26) 벡터공간 $V=\{a+bx+cx^2|a,b,c\in R\}$ 대해 선형사상 $T: V\to V$가 $T(1)=1-2x^2$ $T(x)=0$, $T(x^2)=-2+4x^2$일 때, $T\circ T=T^2$이라 하면 $T^3(1)=?$

Ans. $T^3(1)=25-50x^2$

18한양

27) 선형사상 $T: R^3 \to R^3$ 이 $T(1,1,0)=2(1,1,0)$, $T(0,1,1)=(0,1,1)$, $T(1,0,1)=-(1,0,1)$ 을 만족할 때, $T^{2018}(0,2,0)=(p,q,r)$라 하면 $p+q+r$의 값은? (단, $T^{2018}=\underbrace{T \circ T \circ \cdots \circ T}_{2018}$)

① 2^{2018} ② $2^{2018}+1$ ③ 2^{2019} ④ $2^{2019}+1$

Ans. ③

28) 벡터공간 $V=\{a+bx+cx^2 | a,b,c \in R\}$에 대해 선형사상 $L: V \to V$에 대해 $L(p(x))=(x-1)\dfrac{d(p(x))}{dx}$라 정의하자. 선형사상 L 의 기저$\{1,x,x^2\}$에 대한 행렬의 모양을 구하라.

$$Ans.\ L=\begin{pmatrix} 0 & -1 & 0 \\ 0 & 1 & -2 \\ 0 & 0 & 2 \end{pmatrix}$$

29) 벡터공간 $V=\{a+bx+cx^2 | a,b,c\in R\}$에 대해 선형사상 $T: V\rightarrow V$에서 $T(1)=1-2x^2$, $T(x)=0$, $T(x^2)=-2+4x^2$를 만족할 때 T의 고유치는?
$Ans.$ 0,5

30) 2×2행렬들로 된 공간 V에 대해 $T: V\rightarrow V$이며 $T(A)=A^t$로 이루어진 선형변환의 기저 $\left\{\begin{pmatrix}1&0\\0&0\end{pmatrix},\begin{pmatrix}0&1\\0&0\end{pmatrix},\begin{pmatrix}0&0\\1&0\end{pmatrix},\begin{pmatrix}0&0\\0&1\end{pmatrix}\right\}$에 대한 행렬을 구하시오.

$Ans.$ $T=\begin{pmatrix}1&0&0&0\\0&0&1&0\\0&1&0&0\\0&0&0&1\end{pmatrix}$

31) V의 순서기저 $\{v_1, v_2, v_3, \cdots, v_n\}$에 대해 선형변환 $T: V \rightarrow V$가 $T(v_1) = v_2$, $T(v_2) = v_3, \cdots, T(v_{n-1}) = v_n, T(v_n) = av_1 - v_2 - v_3 - \cdots - v_n$으로 정의될 때 $rank\,T$가 $n-1$이 되도록 a값을 정하시오.
$Ans.\, a = 0$

32) $T(x, y, z) = (x - 3y, -x + y + z, -2y + z)$로 정의되는 선형변환 $T: R^3 \rightarrow R^3$의 고유치의 합은?
$Ans.\, 3$

33) $T(x, y) = (2x - y, -4x + 2y)$의 $rank = ?$
$Ans.\ rank\,T = 1$

34) 선형사상 $T: R^3 \to R^4$ 이며 $T(x,y,z) = (2x+y, x-y, x, -x+3y)$로 정의될 때 $rank\,T = ?$
$Ans.\ 2$

35) 선형사상 $T(x,y) = (2x-y, -3x+y)$에 대해 기저$\{(1,1),(-1,0)\}$에 대한 행렬을 구하시오.
$Ans.\ \begin{pmatrix} -2 & 3 \\ -3 & 5 \end{pmatrix}$

36) $T(x,y,z) = (x+2y+z, y+z, -x+3y+4z)$의 $nullity = ?$
$Ans.\ 1$

37) 벡터공간

$V=\{f:R\to R|f(t)=\alpha cost+\beta sint,\alpha,\beta\in R\}$에서

선형변환 $L:V\to V$가 $L\{f(t)\}=f''(t)-f'(t)$로 정의되고, V의 기저가 $B=\{\cos t,\sin t\}$로 주어질 때, L의 표현행렬을 모든 원소의 합을 구하면?

① −3 ② −2 ③ −1 ④ 0

Ans. ②

17중대

38) 3차 이하의 다항식으로 이루어진 벡터공간 $P_3(R)=\{a+bx+cx^2+dx^3|a,b,c,d\in R\}$ 위의 선형사상 $T:P_3(R)\to P_3(R)$이 $T(1)=1+x$, $T(x)=3x$, $T(x^2)=4x+x^2$, $T(x^3)=8x+x^3$으로 정의된다. 선형사상 T를 고유벡터로 이루어진 기저 $\beta=\{-2+x,-4+x^2,-8+x^3,x\}$에 대하여 표현한 4×4 행렬 $[T]_\beta$를 (a_{ij})라 할 때, $\sum_{j=1}^{4}\sum_{i=1}^{4}a_{ij}$의 값은?

① 4 ②6 ③ 8 ④10

Ans. ②

18중대

39) 선형사상

$T: (x,y,z) \to (5x+4y+3z, -x-3z, x-2y+z)$

의 조단형식($Jordan\ canonical$ form)으로 주어진 3×3 행렬의 (i,j)-성분을 a_{ij} 라 할 때,

$\sum_{i=1}^{3}\sum_{j=1}^{3} a_{ij}$의 값은?

① 3　② 5　③ 6　④ 7

*Ans.*④

18항공

40) 선형변환 $T: R^3 \to R^3$는 $T(1,2,3) = \begin{bmatrix} a & c & b \\ c & b & a \\ b & a & c \end{bmatrix}\begin{bmatrix} 1 \\ 2 \\ 3 \end{bmatrix} = \begin{bmatrix} 7 \\ 2 \\ 3 \end{bmatrix}$을 만족한다. 이 때, 벡터 $T(1,-1,1)$의 성분의 합은?

① 2　② 4　③ 6　④ 8

*Ans.*①

18중대

41) 선형사상 $T: R^4 \to R^4$ 에 대하여 모든 벡터 $v \in R^4$가 $T^4(v) = 0$을 만족한다.
$T^3(e) \neq 0$을 만족하는 영벡터가 아닌 $e \in R^4$가 존재한다고 하자. 이 선형사상을 기저 $\{e, T(e), T^2(e), T^3(e)\}$로 표현한 행렬의 (i,j)-성분을 a_{ij} 라 할 때, $\sum_{i=1}^{4}\sum_{j=1}^{4} a_{ij}$의 값은?
(단, $T^2(w) = T(T(w))$, $T^3(w) = T(T^2(w))$, $T^4(w) = T(T^3(w))$ 이다.)

① 3 ② 4 ③ 5 ④ 6

Ans. ①

18중대

42) $P_2(R) = \{a + bx + cx^2 | a,b,c \in R\}$이고 선형사상
$T: P_2(R) \to R^3$가 $T(p(x)) = \left(p'(0), p''(1), \int_0^1 p(x)\,dx\right)$로 정의될 때,
기저 $\{1,x,x^2\}, \{(1,0,0),(0,1,0),(0,0,1)\}$에 관한 T의 3×3 표현행렬의 (i,j)-성분을 a_{ij}라 할 때, $\sum_{i=1}^{3}\sum_{j=1}^{3} a_{ij}$의 값은?

① $\frac{19}{6}$ ② $\frac{23}{6}$ ③ $\frac{25}{6}$ ④ $\frac{29}{6}$

Ans. ④

17한양

43) 차수가 2보다 작거나 같은 다항식들의 벡터공간 P_2에서 기저 $B=\{x, 1+x, 1-x+x^2\}$과 $C=\{v_1(x), v_2(x), v_3(x)\}$ 에 대하여 기저 B에서 기저 C로의 기저변환행렬 (Change of basis matrix)을 $Q=\begin{pmatrix} 1 & 0 & 0 \\ 0 & 2 & 1 \\ -1 & 1 & 1 \end{pmatrix}$이라 할 때 C원소로서 적절하지 않은 것은?

① $-x^2+2x$　② $-x^2-2x+1$　③ $2x^2-2x+1$　④ $2x^2-3x+1$

Ans. ②

한양

44) 선형변환 $T: R^3 \to R^3$를 $T(x, y, z)=(3x+y+z, 2x+4y+2z, -x-y+z)$로 정의한다. R^3의 기저 $\{(1, 0, -1), (0, 1, -1), (1, 2, -1)\}$로 표현한 행렬의 대각원소의 합은?

① 8　② 9　③ 10　④ 11

Ans. ①

19에리카

45) 1차 다항식 벡터공간 $P_1 = \{ax+b|a, b \in R\}$의 순서기저 $\{x, 1\}$에서 순서기저 $\{2x-1, 2x+1\}$로 바꾸는 좌표변환 행렬은?

① $\frac{1}{4}\begin{bmatrix} 1 & -2 \\ 1 & 2 \end{bmatrix}$ ② $\frac{1}{4}\begin{bmatrix} 2 & 2 \\ -1 & 1 \end{bmatrix}$ ③ $\frac{1}{2}\begin{bmatrix} 1 & -2 \\ 1 & 2 \end{bmatrix}$ ④ $\frac{1}{2}\begin{bmatrix} 2 & 2 \\ -1 & 1 \end{bmatrix}$

$Ans.$ ①

19세종

46) 행렬식이 $\det(A) > 0$ 인 4x4 대칭행렬 A에 대하여 함수 $f: R^4 \to R$ 는 $f(x) = xAx^t \,(x \in R^4)$ 로 정의된다. f에 대하여 옳은 것만을 <보기>에서 있는 대로 고르면? (단, $0=(0,0,0,0) \in R^4$)

<보기>

(ㄱ) $\nabla f(x)=0$ 이면 $x=0$ 이다
(ㄴ) 함수f는 $x=0$에서 극솟값을 갖는다.
(ㄷ) $f(0)$이 함수f의 최솟값이면, 행렬A의 대각합은 양의 실수이다

① (ㄱ) ② (ㄱ) (ㄴ) ③ (ㄱ) (ㄷ) ④ (ㄴ) (ㄷ) ⑤ (ㄱ) (ㄴ) (ㄷ)

$Ans.$ ③

47) 행렬 $A=\begin{pmatrix} 1 & 2 & -2 & 3 & -1 \\ 0 & 1 & 3 & 2 & 1 \\ 2 & 7 & 5 & 12 & 1 \\ 1 & 2 & -2 & 3 & -1 \end{pmatrix}$에 대하여 $L(\vec{v})=A\vec{v}$로 정의되는 선형변환 $L: R^5 \rightarrow R^4$에서 $L(R^5)$의 차원은?

① 1 ② 2 ③ 3 ④ 4

Ans. ②

19경기

48) $\vec{i}=(1,0,0)$, $\vec{j}=(0,1,0)$이고 선형변환 $L: R^3 \rightarrow R^3$가 $L(\vec{x})=\vec{x}\times\vec{i}+\vec{x}\times\vec{j}$로 주어질 때, 다음 중 L의 고유벡터는?

①(1,0,0) ② (0,1,0) ③ (1,1,0) ④ (1,1,1)

Ans. ③

*핵($kernel$) = 영공간(퇴화공간 = $nullspace$)
두 벡터공간 V, W에 대하여 $T: V \to W$를 선형사상이라 할 때
$\ker T = \{v \in V | T(v) = 0\}$를 T의 핵 이라 한다.

핵공간 : $T(X) = 0$을 만족하는 해집합 X
퇴화차원 = $nullity = \dim(\ker T)$ = 해공간의 차원 = 핵공간의 차원 = 퇴화차수

* 상($image$) = 상공간
V의 상이 되는 모든 W의 집합이며 $Im T = T(V) = \{T(v) | v \in V\}$라 한다.

상의차원 = $rank(T)$ = 상공간의 차원 = $\dim(Im T)$

정리 : $\dim(V) = \dim(\ker(T)) + \dim(Im T)$

또는 T의 행렬 A의 열의 개수가 n개일 때, $n = rank(A) + nullity(A)$이다.

선형사상 ($T: V \to W$)이 단사일 필요충분조건 : $\ker T = \{0\}$
전사일 필요충분조건 : $\dim W = \dim(Im T)$

★차원정리

전체차원		Rank		퇴화차수(Nullity)=무효차수
행렬공간의 열의개수		부분공간의 차원		해공간의 차원=영공간의차원
정의역의 차원		행공간의 차원		자유독립변수의 개수
		열공간의 차원		직교보공간의 차원
	=	상(image)의 차원	+	고유공간의 차원
		기저의 원소개수		고유벡터의 개수
		선형독립인 행(열)벡터의 최대개수		조르단 블럭의 개수
		행계수,열계수		기하학적 중복도
				핵의차원
				nullspace의 차원

*선형변환의 성질
1. 선형사상 T가 단사 사상이면 다음과 동치이다.
① 선형사상 T의 핵공간의 차원은 0차원이다.
② 선형사상 T는 일대일 사상이다.
2. 선형사상 T가 전사 사상이면 다음과 동치이다.
① 선형사상 T는 공역의 차원과 상의 차원이 같다.

*선형변환 $T: R^n \to R^m$은 $A_{m \times n}$행렬로 표현할 수 있고 행렬의 차원 정리를 이용하여 $rank(T)$와 $nullity\ (T)$를 계산할 수 있다.
⇒정리 : $\dim(R^n) = \dim(\ker T) + \dim(Im T)$
($\ker T$: 정의역, $Im T$: 공역에 존재)

*$\dim(V) = n$, $\dim(W) = m$일 때, $T: V \to W$가 선형변환이고 $m \times n$행렬 A가 T의 표준행렬이면 다음 필요충분조건을 만족한다.
① T는 일대일(단사)이다.⇔$rank(A) = n$
② T는 전사이다.⇔$rank(A) = m$
③ T가 일대일 대응이다.⇔$m = n$이고 A가 정칙행렬이다.

1) $T(x,y,z)=(x+2y+z, y+z, -x+3y+4z)$의 $\ker T$?
$Ans.\ \{(x,y,z) | x=-y=z\}$

2) $T(x,y,z)=(x+2y+z, y+z, -x+3y+4z)$의 $Im\,T$?
$Ans.\ \{(x,y,z) | x-5y+z=0\}$

3) 다음과 같이 정의된 선형변환 $T: R^3 \to R^3$에 대하여, T의 치역을 구하면?

$$T(x,y,z) = (-4y+2z,\ -x-9y+4z,\ x+y)$$

① $\{(x,y,z) | x-2y-z=0\}$
② $\{(x,y,z) | 2x-y-z=0\}$
③ $\{(x,y,z) | 2x-y+z=0\}$
④ $\{(x,y,z) | x-2y+z=0\}$

$Ans.$ ②

성대

4)선형변환($linear\ \ Transformation$)$L: R^7 \to R^5$에서 $KerL$의 차수가 될 수 없는 것은?
① 1 ② 2 ③ 3 ④ 4 ⑤ 5

$Ans.$ ①

5) 선형변환 $T: R^4 \to R^3$은

$T(x,y,z,w) = (x+2y+4z+5w, 2x+z+3w, -x+2y+az+2w)$로 정의한다. 선형변환 T가 전사함수가 되기 위한 a값이 아닌 것은?

① 1 ② 2 ③ 3 ④ 4

$Ans.$ ③

6) R^2는 2차원 실수일 때, $L : R^2 \to R^2$로의 선형변환
$L(x,y) = (2x - y, -4x + 2y)$로 주어진 문제에 대하여 다음 중 옳지 않은 것은?
① L의 계수는 1이다.
② L의 퇴화차수는 1이다.
③ L의 핵차원은 1이다.
④ 임의의 벡터 $(a,b) \in R^2$에 대하여 $L(x,y) = (a,b)$의 해는 무수히 많다.
$Ans.$④

18경기
7) 선형사상 $L : R^3 \to R^3$가 $L(x, y, z) = (x - y + 2z, y, x + 2z)$를 만족할 때, 벡터 $(1, 0, 0)$의 $\ker(L)$위로의 직교정사영은?
① $\frac{2}{5}(-2, 1, 1)$ ② $\frac{2}{5}(2, 1, -1)$ ③ $\frac{2}{5}(2, 0, -1)$ ④ $\frac{2}{5}(2, 0, 1)$
$Ans.$③

중앙

8) 실수성분을 갖는 2×2행렬들의 벡터공간을 $M_{2\times 2}(R)$라 한다.

$L: M_{2\times 2}(R) \to M_{2\times 2}(R)$이 $L(A) = A + A^T$로 주어졌을 때, L의 핵과 치역의 차원은?

① 1,3 ② 3,1 ③ 1,1 ④ 2,2

Ans. ①

17경기

9) 선형변환 $T_A: R^4 \to R^3$을

$T_A(X) = A^t X \left(A = \begin{bmatrix} 2 & 3 & 1 \\ 3 & 3 & 1 \\ 2 & 4 & 1 \\ 5 & 7 & 2 \end{bmatrix}, X \in R^4 \right)$로 정의하면 $\dim(Ker(T_A))$는? (단, A^t는 A의 전치행렬이다.)

① 0 ② 1 ③ 3 ④ 4

Ans. ②

17숭실

10) 선형사상 $L: R^3 \to R^3$, $L(x, y, z) = (x+y, y+z, z+x)$에 대해 $\dim(KerL) - \dim(ImL)$의 값은?

① -3 ② -1 ③ 1 ④ 3

Ans. ①

18국민

11) 4차원 실수 벡터공간 R^4의 원소를 3차원 실수 벡터공간 R^3의 원소로 변환하는 선형함수 $T: R^4 \to R^3$를 다음과 같이 정의한다. $T(x_1, x_2, x_3, x_4) = (x_1 + x_2 + x_3,\ x_2 + x_4,\ x_1 - x_2 + x_3)$
이 때, 벡터공간 T의 치역(*image*) $Im(T)$와 영공간(*kernel* 또는 *null space*) $\ker(T)$의 차원의 합 $\dim(Im(T)) + \dim(\ker(T))$는?

① 1 ② 2 ③ 3 ④ 4

*Ans.*④

12) 선형변환 $T: R^3 \to R^4$가 $T(x, y, z) = (x + z, 2x + 2z, 2y - 4z, -3x + 6z)$로 정의될 때 다음 중 T의 치역(*Range*) W의 직교여공간(*Orthogonal Complement*) $W^{\perp}$에 속하는 벡터는?

① $(1,0,0,-3)$ ② $(2,-1,0,0)$ ③ $(1,-1,3,-2)$ ④ $(-4,2,-7,8)$

Ans. ②

13) 선형사상 $T: R^2 \to R^3$, $T(x,y)=(2y,\, x-y,\, 3x)$에 대한 다음 설명 중 옳은 것을 모두 고르면?

a. T는 단사인 선형사상이다.
b. $U=\{T(x,y) \mid (x,y)\in R^2\}$의 차원은 2이다.
c. $W=\{(x,y)\in R^2 \mid T(x,y)=(0,0,0)\}$의 차원은 1이다.

$Ans.\ a, b$

18중대

14) 선형사상 $T: R^3 \to R^3$ 에 대하여 평면 $2x+3y-z=0$ 위의 모든 점 (x,y,z) 은 $T(x,y,z)=(0,0,0)$을 만족하고 , $T(1,-1,0)=(2,3,7)$이라 하자.
$T(1,0,0)=(a,b,c)$라 할 때, $a+b+c$의 값은?

① -12 ② -24 ③ 12 ④ 24

서강

15) 실수체 R위의 다음 벡터공간 중에서 차원이 가장 큰 것은?

① $W_1 = \{(x_1, x_2, x_3, x_4) \in R^4 | 3x_1 = x_3\}$, $W_2 = \{(x_1, x_2, x_3, x_4) \in R^4 | x_1 - 2x_2 = 0\}$에서 $W_1 \cap W_2$의 차원

② $R_5[x]$(실수체 위의 5차 이하의 다항식 전체의 집합)의 부분공간 $W = \{a + bx^3 | a, b \in R\}$의 차원

③ 다음과 같이 정의된 선형사상 T의 상공간 $(im\,T)$의 차원
$T | R^5 \to R_5[x]$, $T(a,b,c,d,e) = a + \frac{b}{2}x^2 + \frac{c}{3}x^3$

④ 위의 ③번에서 정의된 선형사상 T의 핵공간$(\ker T)$의 차원

16광운

16) 선형사상 $T: M_{2\times2}(R) \to R^3$, $T\begin{pmatrix} a & b \\ c & d \end{pmatrix} = (a+d, c, b)$에 대한 다음 명제 중 옳은 것을 모두 고르면?

ㄱ. T는 일대일사상이다.
ㄴ. $\{T(A) | A \in M_{2\times2}(R)\}$의 차원은 3이다.
ㄷ. $T\begin{pmatrix} 0 & 1 \\ 2 & 0 \end{pmatrix}$, $T\begin{pmatrix} 1 & 1 \\ 0 & 0 \end{pmatrix}$, $T\begin{pmatrix} 0 & 0 \\ 1 & 2 \end{pmatrix}$는 일차독립이다.

① ㄱ ② ㄴ ③ ㄱ,ㄴ ④ ㄱ,ㄷ ⑤ ㄴ,ㄷ

Ans. ⑤

15광운

17) 선형사상 $T: M_{2\times 2}(R) \to M_{2\times 1}(R)$, $T\begin{pmatrix} a & b \\ c & d \end{pmatrix} = \begin{pmatrix} a+d \\ -b-c \end{pmatrix}$에 대한 다음 설명 중 옳은 것을 모두 고르면? (단, R은 실수 전체의 집합이다.)

ⓐ T는 동형사상이다. ⓑ $T(M_{2\times 2}(R)) = M_{2\times 1}(R)$ ⓒ T의 핵(kernel)의 차원은 2이다.

① ⓐ ② ⓑ ③ ⓐ, ⓑ ④ ⓐ, ⓒ ⑤ ⓑ, ⓒ

Ans. ⑤

13광운

18)선형사상 $T: R^2 \to M_{2\times 2}(R)$, $T(a,b) = \begin{pmatrix} -b & a-b \\ 0 & a+2b \end{pmatrix}$에 대한 다음 성질 중 옳은 것을 모두 고르면?

a. T는 일대일 사상이다

b. T의 핵의 차원은 1이다

c. $T(\{(a, a-b) | a, b \in R\})$의 차원은 3이다.

Ans. a

15서강

19) 3×4 행렬 $A=\begin{pmatrix}1&2&3&5\\2&4&8&8\\0&0&1&-1\end{pmatrix}$ 에 대하여 벡터방정식

$A\overrightarrow{X}=\vec{b}$ 의 해 $\overrightarrow{X}=(x_1,x_2,x_3,x_4)$가 존재하는 모든 벡터 $\vec{b}=(b_1,b_2,b_3)$ 들의 집합을 S 라 할 때, 다음의 벡터 중에서 S에 수직인 것은?

① (−2, −1, 2) ② (2, −1, 2) ③ (−2, 1, 2) ④ (2, 1, 2)

Ans. ②

14성대

20) λ를 $n\times n$행렬 A의 고윳값이라 하고 x가 λ에 대응하는 고유벡터일 때 다음 중 옳지 않은 것은?

① λ는 A^T의 고윳값이다.

② x는 λ^5에 대응하는 A^5의 고유벡터이다.

③ A가 가역행렬이면 $\dfrac{1}{\lambda}$는 A^{-1}의 고윳값이다.

④ $\{x, Ax\}$에 의해서 생성된 R^n의 부분공간의 차원은 2이다.

⑤ $rank(A-\lambda I_n)=k$이면 λ에 대응하는 A의 고유공간의 차원은 $n-k$이다. (단, I_n은 $n\times n$ 단위행렬이다.)

Ans. ④

< 선형사상에 의한 도형의 이동 >

*2차원 공간 R^2상의 평면도형 S와 선형변환 $T: R^2 \to R^2$에 대해서 다음이 성립한다.
$T(A)$의 넓이 $= |\det(T)| \times A$의넓이

*3차원 공간 R^3상의 입체도형 V와 선형변환 $T: R^3 \to R^3$에 대해 다음이 성립한다.
$T(V)$의 부피 $= |\det(T)| \times V$의부피

1) 행렬 $\begin{pmatrix} 3 & 0 \\ 0 & 3 \end{pmatrix}$ 으로 나타내어지는 선형사상에 의해 넓이가 4인 삼각형을 이동시킬때, 옮겨진 삼각형의 넓이는?

$Ans.$ 36

2) 세점 $(1,1), (12,2), (1,4)$를 세 꼭지점으로 하는 삼각형이 행렬 $\begin{pmatrix} 2 & 2 \\ 2 & 4 \end{pmatrix}$로 나타내어지는 선형변환에 의해 옮겨질때 넓이는?
$Ans.$ 66

3) 선형사상 $T: R^2 \to R^2$가 $T(x,y) = (2x-y, x+3y)$로 정의된다. T의 정의역 위의 원판 $x^2+y^2 \le 4$의 T에 대한 상의 면적은?
$Ans.$ 28π

4) 선형사상 $T: R^3 \to R^3$에서 $T(x,y,z) = (x-2y, 3x+z, 4x+3y)$로 정의된다. T의 정의역 위에 구 $x^2+(y-3)^2+(z+2)^2 \le 16$의 T에 의한 선형변환 상의 체적은?

$Ans.\ \dfrac{4^4}{3}\pi \times 11$

19국민

5) 선형변환 $T: R^2 \to R^2$가 다음을 만족한다.

$T(1,0) = (2,3),\ T(0,1) = (1,-2)$

T에 의해 세 점 $P(2,3)$, $Q(-1,0)$, $R(1,-2)$ 이 옮겨지는 점을 각각 A, B, C라 할 때, 삼각형 ABC의 넓이는?

① 4 ② 14 ③ 24 ④ 42

$Ans.$ ④

15명지

6) 좌표공간에서 일차변환 $f: R^3 \to R^3$을 나타내는 행렬이 $\begin{pmatrix} 2 & 1 & 2 \\ -3 & 3 & 0 \\ 0 & 3 & 5 \end{pmatrix}$이다. 네 점 $O(0,0,0)$, $P(1,0,0)$, $Q(0,2,0)$, $R(0,0,1)$에 대하여 네 점 $f(O), f(P), f(Q), f(R)$를 꼭짓점으로 하는 사면체의 부피는?

① 7 ② 8 ③ 9 ④ 10 ⑤ 11

$Ans.$ ③

7) 세 점 $(1,-1,2), (2,1,3), (0,2,1)$을 꼭짓점으로 하는 삼각형을 선형변환

$T(x,y,z)=(x+y,\ 2x+2y+z,\ 2y+2z)$에 의해 이동한 영역의 면적은?

① $\frac{3\sqrt{5}}{2}$ ② $3\sqrt{5}$ ③ $\frac{5\sqrt{5}}{2}$ ④ $5\sqrt{5}$

Ans. ③

8) 선형사상 $T: R^2 \to R^3$, $T(x,y)=(2x+3y,\ x-y,\ 2y)$에 의해 R^2상의 $x^2+y^2 \le 4$가

R^3 상의 영역으로 옮겨질 때, 옮겨진 영역의 크기는?

① $12\pi\sqrt{5}$ ② $8\pi\sqrt{5}$ ③ $6\pi\sqrt{5}$ ④ $3\pi\sqrt{5}$

Ans. ①

최소제곱의 해(Least Squares Solution)
:오차가 가장 적은 직선(곡선)의 해

공식 : $\overline{X}=(A^TA)^{-1}A^TB$

★ $(a\ b)\begin{pmatrix}x\\y\end{pmatrix}=(c)\Leftrightarrow\begin{pmatrix}(a\circ a) & (a\circ b)\\(a\circ b) & (b\circ b)\end{pmatrix}\begin{pmatrix}x\\y\end{pmatrix}=\begin{pmatrix}(a\circ c)\\(b\circ c)\end{pmatrix}$

16항공

1) $x+y=1,\ x-y=0,\ 2x+y=2$에 대한 최소자승해(least square solution)는 얼마인가?

① $x=\frac{1}{2},y=\frac{1}{2}$ ② $x=\frac{7}{12},y=\frac{7}{12}$ ③ $x=\frac{9}{14},y=\frac{4}{7}$ ④ $x=\frac{7}{12},y=\frac{4}{7}$

$Ans.$ ③

17건국

2) 두 변량 x와 y에 대하여 순서쌍(x,y)의 데이터 (1,2), (2,3), (3,6), (4,7)을 수집하였다. $\sum_{i=1}^{4}(y_i - mx_i - b)^2$ 의 값이 최소가 되는 m과 b에 대하여 $m+b$ 의 값은?

① $\frac{1}{5}$ ② $\frac{3}{5}$ ③ 1 ④ $\frac{7}{5}$ ⑤ $\frac{9}{5}$

Ans. ⑤

14항공

3) 평면에 주어진 네 점 $(x_1, y_1) = (1,1), (x_2, x_2) = (2,3), (x_3, y_3) = (3,4),$
$(x_4, x_4) = (4,3)$에 대하여 제곱오차의 총합인 E의 값을 최소화 하는 최소제곱직선(least squares line)이 $y = a + bx$일 때 $a+b$의 값은? (단, $E = \sum_{k=1}^{4}[y_k - (a + bx_k)]^2$이다.)

① 1.60 ② 1.64 ③ 1.66 ④ 1.70

Ans. ④

15성대

4) 실험실에서 1시간 간격으로 어떤 물질의 온도를 측정하여 다음의 데이터를 얻었다.

시간(t)	0	1	2	…	10
온도(T)	6	9	10	…	?

위 데이터에 가장 가까운 최소제곱해를 일차함수로 구하여 10시간 후 이 물질의 온도를 추정하면?

① 13.5 ② 16.4 ③ 20.3 ④ 26.3 ⑤ 31.5

Ans. ④

19성균

5) 원 $a(x^2+y^2)+b(x+y)=1$이 네 개의 점 (0,1) (−1,0), (1,−1), (1,1)에 대한 최소제곱해일 때, 이 원의 넓이는?

① $\frac{155\pi}{98}$ ② $\frac{160\pi}{98}$ ③ $\frac{165\pi}{98}$ ④ $\frac{170\pi}{98}$ ⑤ $\frac{175\pi}{98}$

Ans. ①

*사영행렬

1) 영이 아닌 임의의 벡터 $u\in R^n$에서 행렬 $A\in R^{n\times n}$를 $A=I-\dfrac{2}{u^Tu}uu^T$로 정의할 때, A의 고윳값이 λ라면 $||\lambda||_2$는? (단, $\lambda=a+bi$에서 $||\lambda||_2=\sqrt{a^2+b^2}$)

① 1 ② $\sqrt{2}$ ③ e ④ 2

*Ans.*①

2) 행렬 $u^T=\left(\dfrac{1}{\sqrt{2}}\ \dfrac{1}{\sqrt{3}}\ \dfrac{1}{\sqrt{6}}\right)$에 대하여 행렬 $A\in R^{3\times 3}$를 $A=I-2uu^T$로 정의할 때 벡터 $A\begin{pmatrix}6\\8\\0\end{pmatrix}$의 크기는?

*Ans.*10

11홍대
$T: R^3 \to R^3$가 임의의 벡터를 평면 $x+2y+3z=0$에 대하여 대칭인 벡터로 보내는 선형사상이라고 하자.

3)다음중 T의 고유벡터가 아닌것은?
① $(1,5,1)$ ② $(2,2,-2)$ ③ $(0,3,-2)$ ④ $(1,2,3)$
$Ans.$①

4) T의 대각합 $trace$를 구하면?

① -1 ② 0 ③ 1 ④ 2
$Ans.$③

5)임의의 벡터 $v \in R^3$을 평면 $x+y-3z=0$에 사영시키는 사영행렬 A라 할때, A^2의 행렬식은?
① 0 ② 1 ③ 2 ④ 4

$Ans.$①

15한양

6) R^4 위의 벡터 (1,1,1,1), (1,−1,1,−1), (−1,1,1,−1) 에 의해 생성되는 부분공간에 대한 사영행렬 $P=(p_{ij})_{4\times4}$ 의 대각선 원소 전부의 합 $p_{11}+p_{22}+p_{33}+p_{44}$ 의 값은?

Ans.3

17서강

7) 2×3 행렬 $A=\begin{pmatrix}1 & 0 & -1\\1 & 0 & -1\end{pmatrix}$ 에 대하여 $A\vec{x}=\vec{0}$ 을 만족하는 모든 $\vec{x}$ 의 집합을 $N(A)$라 하자. 3차원 공간 R^3에서 $N(A)$ 으로의 정사영 행렬을 $P=(p_{jk})$ 라 할 때, P의 $p_{11}+p_{22}+p_{33}$ 의 값은?

① −4 ② 4 ③ −2 ④ 2 ⑤ 0

Ans.④

16서강

8) R^3 의 벡터를 평면 $x+y+z=0$ 위로의 정사영으로 보내는 선형변환을 T 라 하자. 모든 $v \in R^3$ 에 대하여 $T(v)=Av$ 가 되는 행렬을 A라 할 때, <보기>에서 옳은 것을 모두 고르면?

가. A의 역행렬이 존재한다.
나. (1,1,1) 은 A의 고유벡터이다.
다. A의 트레이스는 2이다.
라. A는 대각화 가능하다.

① 가, 라 ② 나, 다 ③ 나, 라 ④ 나, 다, 라 ⑤ 가, 나, 다, 라

Ans. ④

18서강

9) 행렬 $\begin{pmatrix} 1 & 1 & 2 \\ 1 & 1 & 0 \\ 2 & -2 & 0 \end{pmatrix}$ 의 고윳값 중 가장 큰 것을 λ 라고 하고 λ 에 대응하는 고유공간을 E_λ 라 하자. 벡터 $b=(3,2,1)$ 의 E_λ 위로의 정사영을 $p=(p_1,p_2,p_3)$ 라고 할 때, $\lambda+p_1+p_2+p_3$ 의 값은?

① 4 ② $\frac{29}{7}$ ③ 5 ④ $\frac{31}{5}$ ⑤ 7

Ans. ⑤

10) 벡터 $v_1 = (1,0,-1,-1), v_2 = (0,2,1,2)$로 생성되는 R^4의 부분공간을 W라 하고, 벡터$(1,1,1,-1)$에 가장 가까운 W에 있는 벡터를 $v = (a_1, a_2, a_3, a_4)$라 하자. v의 성분의 합 $a_1 + a_2 + a_3 + a_4$을 구하라.
$Ans.1$

19성대

11) 벡터공간 R^4에서 선형방정식 $2x_1 - x_3 + x_4 = 0$의 해공간을 W라고 할 때, 점$(1,1,1,1)$을 W로 직교사영 시킨 점은?

① $\left(-\frac{1}{3}, 1, \frac{2}{3}, \frac{4}{3}\right)$ ② $\left(\frac{1}{3}, 1, \frac{2}{3}, \frac{4}{3}\right)$ ③ $\left(\frac{2}{3}, 1, \frac{1}{3}, \frac{4}{3}\right)$ ④ $\left(\frac{2}{3}, 1, -\frac{1}{3}, \frac{1}{3}\right)$ ⑤ $\left(\frac{1}{3}, 1, \frac{4}{3}, \frac{2}{3}\right)$

$Ans.$ ⑤

20성대

12) 행렬 $A = \begin{bmatrix} 1 & 2 & 0 \\ 1 & 2 & 1 \\ 0 & -1 & 1 \\ -1 & -1 & 0 \end{bmatrix}$와 벡터 $v = \begin{bmatrix} 3 \\ -4 \\ 3 \\ 1 \end{bmatrix}$에 대하여 v에서 A의 열공간까지의 거리는?

① $2\sqrt{2}$ ② $2\sqrt{5}$ ③ $2\sqrt{6}$ ④ $2\sqrt{7}$ ⑤ $2\sqrt{10}$

Ans. ④

20성대

13) 벡터공간 R^4에서 선형방정식 $x+2y+3z+4w=0$ 의 해공간(solution space)을 W라 고하자. 선형변환 $T: R^4 \to R^4$가 W로의 직교사영(Orthogonal Matrix)일 때 T의 표준행렬(Standard Matrix)의 모든 성분의 합은?

① $-\frac{2}{3}$ ② $-\frac{1}{3}$ ③ 0 ④ $\frac{1}{3}$ ⑤ $\frac{2}{3}$

Ans. ⑤

14중앙

14) 다음과 같이 주어진 벡터 u와 행렬 A에 대하여, $T(x)=Ax$로 정의되는 선형변환 $T: R^4 \to R^4$의 영공간 위로 u를 정사영하여 얻은 벡터는?

$$u=\begin{pmatrix}10\\30\\30\\10\end{pmatrix},\ A=\begin{pmatrix}3&1&-2&-6\\1&1&-2&-2\\2&1&-2&-4\\1&0&0&-2\end{pmatrix}$$

① $\begin{pmatrix}12\\36\\18\\6\end{pmatrix}$ ② $\begin{pmatrix}6\\18\\9\\3\end{pmatrix}$ ③ $\begin{pmatrix}36\\6\\18\\12\end{pmatrix}$ ④ $\begin{pmatrix}6\\9\\3\\18\end{pmatrix}$

Ans. ①

18광운

15) R^3에서 xz평면으로의 사영 $P(x,y,z)=(x,0,z)$으로 정의된 일차 변환 $P: R^3 \to R^3$에 대응하는 변환 행렬 A_P는?

① $\begin{bmatrix}1&0&0\\0&1&0\\0&0&1\end{bmatrix}$ ② $\begin{bmatrix}1&0&1\\0&1&0\\0&0&1\end{bmatrix}$ ③ $\begin{bmatrix}1&0&0\\0&1&0\\1&0&1\end{bmatrix}$ ④ $\begin{bmatrix}1&0&0\\0&0&0\\0&0&1\end{bmatrix}$ ⑤ $\begin{bmatrix}1&0&0\\0&1&0\\0&0&0\end{bmatrix}$

Ans. ④

16) 유클리드 공간 R^4에서 세 벡터 $(1,0,0,1),(1,1,0,0),(0,0,1,1)$에 의해 생성되는 부분공간을 Π라 할 때, 벡터 $(1,0,-2,3)$과 Π 사이의 거리를 구하라.

$Ans.2$

17) 세 벡터 $u_1 = < 1,1,0,-1 >, u_2 = < 1,0,1,1 >, u_3 = < 0,-1,1,-1 >$ 에 의해 생성된 공간을 W라 할 때 $v = < 3,4,5,6 >$ 와 W사이의 거리는?
$Ans.2\sqrt{3}$

18) $P_3(R)$을 실수계수를 가지며 차수가 3차 이하인 다항식으로 이루어진 벡터공간을 $P_3(R)$이라 하고, 내적을 $< f,g >= \int_{-1}^{1} f(x)g(x)dx (f,g \in P_3(R))$이라 정의한다. 다항식 $f(x) = x^3 + x^2 + 1$을 부분공간 $P_1(R) = \{c_0 + c_1 x | c_0, c_1 \in R\}$위로 정사영하여 얻은 다항식은?

① $\frac{4\sqrt{2}}{3} + \frac{3}{5}x$ ② $\frac{4}{3} + \frac{3}{5}x$ ③ $\frac{4\sqrt{2}}{3} + \frac{8}{5}x$ ④ $\frac{4}{3} + \frac{8}{5}x$

Ans. ②

14성대

19) 폐구간 $[0,1]$에서 정의된 모든 연속함수들의 벡터공간 $C[0,1]$에서 $< f,g > = \int_{0}^{1} f(x)g(x)dx$로 정의 할 때 $\{1, 2x-1\}$에 의해서 생성된 $C[0,1]$의 부분공간으로부터 $x^2 \in C[0,1]$에 가장 근사한 최소제곱해 (Least squares)는?

① $y = x - \frac{1}{7}$ ② $y = x - \frac{1}{6}$ ③ $y = x - \frac{1}{5}$ ④ $y = x - \frac{1}{4}$ ⑤ $y = x - \frac{1}{3}$

Ans. ②

18성대

20) 닫힌구간 $[-1,1]$에서 연속인 모든 함수들로 구성된 내적공간 $C[-1,1]$에서 내적을 $<f,g> = \int_{-1}^{1} f(x)g(x)dx$ 로 정의하자. $C[-1,1]$의 부분공간 $P_1 = span\{1,x\}$ 에 대하여 두 함수 $h_1(x) \in P_1, h_2(x) \in (P_1)^{\perp}$ 가 $h_1(x)+h_2(x) = e^x$ 을 만족할 때, $h_1(1)$ 의 값은?

① $\frac{e}{2}+\frac{1}{2e}$ ② $\frac{e}{2}+\frac{1}{e}$ ③ $\frac{e}{2}+\frac{3}{2e}$ ④ $\frac{e}{2}+\frac{2}{e}$ ⑤ $\frac{e}{2}+\frac{5}{2e}$

Ans. ⑤

19한양

21) 벡터 $v=(1,1,1,1,1)$과 $w=(-2,-1,0,2,3)$이 생성하는 R^5의 부분공간을 W라 할 때, 벡터 $u=(4,2,1,1,1)$의 W위로의 정사영을 $P_W(u)=(u_1,u_2,u_3,u_4,u_5)$라 하자. 이 때, $2(u_1^2+u_2^2+u_3^2+u_4^2+u_5^2)$의 값을 구하시오.

Ans. 41

19서강

22) 행렬 $A=\begin{bmatrix}1&6&3&1\\1&4&2&1\\0&2&1&0\end{bmatrix}$의 영공간을 V라고 하자. 벡터 $x=(2,0,5,0)$의 V위로의 정사영을 $p=(p_1,p_2,p_3,p_4)$라고 할 때, $p_1+p_2+p_3+p_4$의 값은?

$Ans.2$

23) 공간벡터 $\vec{a}=(1,0,-1), \vec{b}=(1,1,1), \vec{c}=(1,2,0)$에 대하여 벡터의 크기 $|\vec{c}-s\vec{a}-t\vec{b}|$가 최소가 되도록하는 실수 s,t의 합을 구하면?

$Ans.3/2$

*직교대각화
A와 B를 정방행렬이라 하면 $P^TAP=B$를 만족하는 직교행렬 P가 존재하면 A와 B는 직교닮음(orthogonally similar)이라 한다.
A가 적절한 대각행렬과 직교 닮음이면, 즉 $D=P^TAP$이면, A는 직교대각화 가능하다고 하고 P는 A를 직교대각화한다고 한다.

1) 행렬 $A=\begin{pmatrix} 3 & 1 \\ 1 & 3 \end{pmatrix}$과 $v=\begin{pmatrix} x \\ y \end{pmatrix}$에 대하여 $v^TAv=1$은 타원이다. 단축의 길이는?
$Ans.1$

20홍대

2) 다음 중 이차 곡선의 종류가 맞게 짝지어진 것을 고르시오.

① $x^2-6xy+9y^2+2x-4y-3=0$: 포물선

② $2x^2+3xy+y^2+x-y+7=0$: 타원

③ $10x^2-10xy+y^2-5y=0$: 타원

④ $x^2+xy+y^2-2x+4y-1=0$: 쌍곡선

Ans. ①

18한양

3) 이차형식 $q(x,y)=2x^2+2xy+2y^2$ 을 직교대각화하면 $q(x,y)=X^2+3Y^2$ 이 된다. 이때, $X=lx+my$ (단, $l>0$) 라면, m의 값은?

① $-\frac{1}{\sqrt{2}}$ ② $-\frac{1}{2}$ ③ $\frac{1}{2}$ ④ $\frac{1}{\sqrt{2}}$

Ans. ①

4) 이차형식 $x^2+4xz+2y^2+z^2$을 직교대각화하면, $a_1X^2+a_2Y^2+a_3Z^2$이다.
이 때 $Z=\alpha x+\beta y+\gamma z$이면, $\alpha+\beta+\gamma$의 값은? (단, $a_1 < a_2 < a_3$)
Ans. $\sqrt{2}$

17한양
5) 이차형식 $ax^2+2bxy+cy^2$이 kt^2으로 직교대각화 되기 위한 동치 조건을 구할 때, 상수 k의 값은?
① $k=-a-c$ ② $k=a-b+c$ ③ $k=a+b+c$ ④ $k=a+c$
Ans. ④

14한양

6) 어떤 직교행렬 P에 대해 $\begin{pmatrix} X \\ Y \\ Z \end{pmatrix} = P\begin{pmatrix} x \\ y \\ z \end{pmatrix}$ 라 할 때, 다음 등식이 항상 성립한다고 한다. 실수 a,b,c 중 가장 작은 값은?

$$2x^2 + 4y^2 + 6yz - 4z^2 = aX^2 + bY^2 + cZ^2$$

① −5 ② −3 ③ −2 ④ 0

Ans. ①

17한양

7) 이차곡면 $2xy + 2xz = 1$을 분류할 때, 이 곡면에 해당되는 것은?

① 쌍곡선기둥 ② 쌍곡포물면 ③ 회전타원체 ④ 타원포물면

Ans. ①

17가천

8) 선형변환 $L: R^2 \to R^2$와 R^2의 표준기저 (1,0), (0,1)에 대해 $L((1,0)) = (0,1), L((0,1)) = (1,0)$이 성립한다. $L(v) = 3v$가 성립하는 벡터를 모두 고르면?

① (0,0) ② (0,0), (1,1) ③ (0,0), (1,0), (0,1) ④ R^2의 모든 벡터

Ans. ①

20한양

9) 이차곡선

$$5x^2 - 4xy + 8y^2 + 4\sqrt{5}x - 16\sqrt{5}y + 4 = 0$$

이 회전 및 평행이동에 의해 이차곡선 $\frac{x^2}{A} + \frac{y^2}{B} = 1$이 될 때, $A \times B$의 값을 구하시오. (단, A와 B는 상수이다.)

*멱등행렬(*Idempotent Matrix*)
: $A^2 = A$를 만족하는 행렬(A는 정방행렬) $ex)$ $I^2 = I$이며 단위행렬도 멱등행렬이다.

성질 : ① 멱등행렬의 고유치는 0 or 1이다.
② 멱등행렬의 행렬식은 0 or 1이다.

*멱영행렬 (*Nilpotent Matrix*)
: $A^n = O$을 만족하는 지수가 n(최소)인 행렬 A(A는 정방행렬이며 n은 자연수)

성질 : $A^n = O$을 만족시킬 때 $I - A$는 가역행렬이다.(A는 정방행렬, n은 양의정수)

15광운

1) 지수가 8인 멱영행렬(Nilpotent matrix) $A \in M_{8\times 8}(R)$에 대한 다음 설명 중 옳은 것을 모두 고르면? (단, R은 실수 전체의 집합이다.)

ⓐ A의 모든 고윳값들의 합은 0이다. ⓑ A는 8개의 서로 다른 고윳값을 갖는다. ⓒ $n \le 7$인 자연수에 대하여 A^n는 영행렬이 아니다.

① ⓐ ② ⓑ ③ ⓒ ④ ⓐ, ⓒ ⑤ ⓑ, ⓒ

Ans. ④

*스펙트럼분해
: $n\times n$ 행렬 A가 직교행렬 P로 직교 대각화되는 대칭행렬일 때
$A=\lambda_1 u_1 u_1^T+\lambda_2 u_2 u_2^T+\lambda_3 u_3 u_3^T+\cdots+\lambda_n u_n u_n^T$

(단, 고윳값 $\lambda_1,\lambda_2,\cdots\lambda_n$은 대각행렬 D의 성분이고
P의 열은 A의 고유치에 대응되는 정규직교 고유벡터 $u_1,u_2,u_3,\cdots,u_n$ 이다)

1) 행렬 $A=\begin{pmatrix}0&2&-1\\2&3&-2\\-1&-2&0\end{pmatrix}$는 적당한 직교행렬 P에 대하여 $P^{-1}AP=\begin{pmatrix}-1&0&0\\0&-1&0\\0&0&5\end{pmatrix}$을 만족한다.
P의 열을 순서대로 u_1,u_2,u_3라 할 때, $u_1u_1^T+u_2u_2^T$을 구하면?
① $\frac{1}{6}\begin{pmatrix}5&-2&1\\-2&2&2\\1&2&5\end{pmatrix}$ ② $\frac{1}{10}\begin{pmatrix}13&-4&5\\-4&2&0\\5&0&5\end{pmatrix}$ ③ $\begin{pmatrix}5&-2&1\\-2&1&0\\1&0&1\end{pmatrix}$ ④ $\begin{pmatrix}2&-1&0\\-1&1&1\\0&1&2\end{pmatrix}$
$Ans.$ ①

19이대

2) 3×3 행렬에 대하여 다음의 등식이 성립한다.

$$\begin{bmatrix}1&2&3\\2&4&5\\3&5&6\end{bmatrix}=a\begin{bmatrix}u_1\\u_2\\u_3\end{bmatrix}\left(\begin{bmatrix}u_1\\u_2\\u_3\end{bmatrix}^T\right)+b\begin{bmatrix}v_1\\v_2\\v_3\end{bmatrix}\left(\begin{bmatrix}v_1\\v_2\\v_3\end{bmatrix}^T\right)+c\begin{bmatrix}w_1\\w_2\\w_3\end{bmatrix}\left(\begin{bmatrix}w_1\\w_2\\w_3\end{bmatrix}^T\right)$$

이 때, $a(u_1^2+u_2^2+u_3^2)+b(v_1^2+v_2^2+v_3^2)+c(w_1^2+w_2^2+w_3^2)$ 의 값을 구하시오.

(단, T는 transpose를 의미한다.)

$Ans.$ 11

*QR분해 : A가 일차독립인 열벡터 n개를 갖는 $m\times n$행렬이고 Q가 정규직교 열벡터를 갖는 $m\times n$행렬이며 R이 가역인 상삼각행렬일 때 $A=QR$로 인수분해 된다.

19한양

1) 행렬 A, B, C가 다음과 같이 주어져 있다.

$$A=\begin{pmatrix}5&2&5&2\\0&1&3&4\\0&0&1&0\\0&0&1&7\end{pmatrix},\ B=\begin{pmatrix}2&0&0&0\\4&3&0&0\\5&3&1&2\\1&2&2&2\end{pmatrix},\ C=AB$$

C의 열벡터들로부터 그람-슈미트과정을 사용하여 얻은 벡터들로 구성된 직교행렬을 Q라 할 때, $Q^{-1}C$의 대각성분들의 곱의 절댓값은?

① 1 ② 120 ③ 240 ④ 420 ⑤ 840

$Ans.$ ④

*LU분해

15에리카

1) 행렬 $A=\begin{pmatrix}1&1&1\\1&2&1\\0&-1&2\end{pmatrix}$의 LU분해가 다음과 같을 때, $a+b+c+\det A$의 값은?

$$A=LU=\begin{pmatrix}1&0&0\\1&1&0\\0&a&1\end{pmatrix}\begin{pmatrix}1&1&b\\0&1&0\\0&0&c\end{pmatrix}$$

① 3 ② 4 ③ 5 ④ 6

Ans. ②

2) 행렬 $A=\begin{bmatrix}2&3&4\\1&2&3\\0&1&1\end{bmatrix}$의 LU분해가 다음과 같을 때, U의 행렬식 $\det U$의 값은?

$$A=LU=\begin{bmatrix}1&0&0\\\square&1&0\\\square&\square&1\end{bmatrix}\begin{bmatrix}\square&\square&\square\\0&\square&\square\\0&0&\square\end{bmatrix}$$

① -2　　② -1　　③ 1　　④ 2

Ans. ②

21세종(오후)

3) R^3의 행벡터를 1×3행렬로 이해할 때,

$v_1=(0,1,1),\ v_2=(1,1,0),\ v_3=(0,1,0),\ w_1=(2,4,8)\ ,w_2=(0,1,1),\ w_3=(0,0,2)$에 대하여

3×3행렬 A는 $A=\sum_{k=1}^{3}v_k^t w_k$이다. 다음 치환행렬 P중에서 PA가 하삼각행렬 L과 상삼각행렬 U의 곱 $PA=LU$로 분해되게 하는 P가 아닌 것을 고르면?

① $\begin{pmatrix}0&1&0\\1&0&0\\0&0&1\end{pmatrix}$　② $\begin{pmatrix}0&0&1\\1&0&0\\0&1&0\end{pmatrix}$　③ $\begin{pmatrix}1&0&0\\0&0&1\\0&1&0\end{pmatrix}$　④ $\begin{pmatrix}0&1&0\\0&0&1\\1&0&0\end{pmatrix}$　⑤ $\begin{pmatrix}0&0&1\\0&1&0\\1&0&0\end{pmatrix}$

Ans. ③

*직교행렬 1. $(A\vec{a}) \circ (A\vec{b}) = \vec{a} \circ \vec{b} = a^T b$ (여기서 a,b는 열벡터) 2. $\Vert A\vec{a} \Vert = \Vert \vec{a} \Vert$

1) 직교행렬 $A = \begin{pmatrix} \frac{2}{3} & -\frac{2}{3} & \frac{1}{3} \\ \frac{2}{3} & \frac{1}{3} & -\frac{2}{3} \\ \frac{1}{3} & \frac{2}{3} & \frac{2}{3} \end{pmatrix}$에 대하여 다음 중에서 내적 $< Au, Av >$의 값이 최대가 되는 u, v는? (단, $<a, b>$는 벡터 a와 b의 내적)

① $u = (-2, 1, 3), v = (-1, 1, 3)$ ② $u = (-2, 1, 3), v = (2, 1, 3)$

③ $u = (-3, 1, 3), v = (-2, 1, 2)$ ④ $u = (2, 1, -3), v = (2, 1, 3)$

Ans. ③

20성대

2) 두 행렬 $A = \begin{vmatrix} 11111 \\ 01111 \\ 10111 \\ 11011 \\ 11101 \end{vmatrix}$ 와 $Q = \begin{vmatrix} 00010 \\ 10000 \\ 00001 \\ 01000 \\ 00100 \end{vmatrix}$에 대하여 행렬 $Q^{-1}AQ$의 각 성분을 a_{ij}라고 할 때,

$a_{11} + a_{12} + a_{33} + a_{54} + a_{15}$의 값은?

① 1 ② 2 ③ 3 ④ 4 ⑤ 5

20성대

3) 크기가 10×10인 행렬 $A = [a_{ij}]$가 다음을 만족한다.

ㄱ. $\{a_{ij} | 1 \le i, j \le 10\} = \{1,2,3, \cdots, 100\}$

ㄴ. 각각의 정수

$1 \le p, q \le 10$에 대하여 $\sum_{i=1}^{10} a_{ip} = \sum_{j=1}^{10} a_{qj}$

만약 A가 가역행렬이라면 역행렬 A^{-1}의 모든 성분의 합은?

① 1 ② $\frac{1}{10}$ ③ $\frac{2}{101}$ ④ $\frac{5}{101}$ ⑤ $\frac{1}{5050}$

20성대

4) 상수 a, b에 대하여 함수

$z = f(x,y) = a\sin(x) + b\cos(y)$가 세 개의

점 $(0,0,1), \left(\frac{\pi}{2},0,2\right), \left(\frac{\pi}{2},\frac{\pi}{2},2\right)$에 대하여 최소제곱의 해일 때 $\int_0^{\frac{\pi}{2}}\int_0^{\frac{\pi}{2}} f(x,y)dxdy$의 값은?

① $\frac{5}{6}\pi$ ② $\frac{7}{6}\pi$ ③ $\frac{3}{2}\pi$ ④ $\frac{11}{6}\pi$ ⑤ $\frac{13}{6}\pi$

5) 3×3 대칭행렬 A의 고윳값이 $2, 2, 8$이고, 이 순서대로 고유벡터 $\begin{bmatrix}-1\\1\\0\end{bmatrix}, \begin{bmatrix}-1\\-1\\2\end{bmatrix}, \begin{bmatrix}1\\1\\1\end{bmatrix}$가 대응될 때, 스펙트럼분해를 이용하여 구한 A의 모든 성분의 합은?

① 24　② 26　③ 72　④ 74　⑤ 76

*Ans.*①

6) 곡면 $x^2+y^2=\dfrac{z^2}{4}$과 평면 $x+y+z=1$이 만나서 이루는 곡선이 평면 $x+y+z=1$에서 둘러싸인 영역의 넓이는?

① $\dfrac{\pi}{\sqrt{2}}$　② $\sqrt{\dfrac{2}{3}}\pi$　③ π　④ $\sqrt{\dfrac{3}{2}}\pi$

*Ans.*④

7) 행렬 $A=\begin{bmatrix}-1&1&1\\1&1&3\\1&3&3\end{bmatrix}$을 직교 대각화하였을 때, 주대각선에 나타나는 수들의 곱을 구하면?

① -8 ② -4 ③ 0 ④ 4 ⑤ 8

*Ans.*⑤

8) $v_1=\frac{1}{\sqrt{3}}(1,1,1), v_2=\frac{1}{\sqrt{2}}(1,0,-1), v_3=(a,b,c)$

가 공간 R^3의 직교정규기저(orthonormal basis)를 이룬다고 하자. 세 벡터 v_1, v_2, v_3 를 첫 번째, 두 번째, 세 번째 열로 가지는 행렬 A에 대하여, A^{-1}의 $(3,2)$ 성분은? (단, a는 양의 실수)

① $-\frac{\sqrt{6}}{2}$ ② $-\frac{\sqrt{6}}{3}$ ③ 0 ④ $\frac{\sqrt{6}}{3}$ ⑤ $\frac{\sqrt{6}}{2}$

*Ans.*②

9) 벡터 $\mathrm{x}=(x_1, x_2, \cdots, x_n) \in R^n$의 노름(norm)을 다음과 같이 정의하자. $\| \mathrm{x} \| = \sqrt{\sum_{k=1}^{n} x_k^2}$

행렬 $A = \begin{pmatrix} 1 & 1 & 1 \\ 2 & -1 & 1 \end{pmatrix}$과 $\| \mathrm{x} \| = 1$을 만족하는 임의의 $\mathrm{x} \in R^3$에 대하여 $\| (A\mathrm{x}^t)^t \|$ 의 최댓값은?

① 2 ② $\sqrt{5}$ ③ $\sqrt{6}$ ④ $\sqrt{7}$ ⑤ $2\sqrt{2}$

Ans. ④

10) 벡터 $x=(x_1, x_2, \cdots, x_n) \in R^n$의 노름(norm)을 $\| x \| = \sqrt{\sum_{k=1}^{n} x_k^2}$ 으로 정의하고

$m \times n$행렬 A의 노름은 $\| A \| = \max\left\{ \| (Ax^t)^t \| : x \in R^n, \| x \| \le 1 \right\}$로 정의하자. 행렬 $A = \begin{pmatrix} 2 & 1 & 0 \\ -2 & 0 & 1 \end{pmatrix}$와 임의의 $n \times n$직교행렬 U_n에 대하여 $\| U_2 A U_3 \|$ 의 최댓값은?

(단, $n \times n$ 직교행렬 U_n은 $U_n U_n^t = I_n = U_n^t U_n$를 만족하는 행렬이며 I_n은 $n \times n$ 단위행렬이다.)

① 1 ② 2 ③ 3 ④ 4 ⑤ 5

Ans. ③